논·술·세·계·대·표·문·학

30

장발장

빅토르 위고 | 이경애 엮음

훈민출판사

파리의 오페라하우스

The Best World Literature

〈장발장〉의 배경이 된 프랑스 센 강 유역의 풍경

위고의 캐리커처

워털루 전투 – 위고 작품의 주요 배경이 되었다.

파리 시청사의 전경

위고의 아내 아델

〈장발장〉의 삽화 – 장발장이 감옥에 갇혀 있는 모습이다.

파리 시민들의 모습

The Best World Literature

프랑스 2월 혁명 – 1848년 2월에 일어난 이 혁명으로 제2공화정이 성립되었고, 위고는 이 때 국민의회의 의원으로 선출되어 활발한 정치 활동을 벌였다.

구인환(丘仁煥)

서울대학교 사범대학 졸업. 동 대학원 졸업(문학박사)
서울대학교 명예교수, 소설가(현). 서울대학교 사범대학 국어교육연구소 소장(현)
문학과문학교육연구소 소장(현). 국제펜 한국본부 부회장(현)
한국소설문학상(1987). 예술문화대상(1994). 한국문학상(2000)
작품 〈숨쉬는 영정〉, 〈살아 있는 날들〉, 〈일어서는 산〉 외 다수

• 저서 《한국단편소설의 이해》, 《한국현대소설의 비평적 성찰》,
　　　《고교생이 알아야 할 소설》, 《고교생이 알아야 할 세계단편소설》 외 다수

윤병로(尹柄魯)

성균관대학교 국어국문학과 졸업. 동 대학원 졸업(문학박사)
성균관대학교 교수, 문학평론가(현). 한국현대소설학회장(현)
한국문예학술저작권협회 이사(현). 한국간행물윤리위원회 위원(현)
한국펜 문학상(1987). 한국문학상(1988). 대한민국문학상(1989)
수필집 《나의 작은 애인들》 외 다수

• 저서 《현대 작가론》, 《한국 현대 소설의 탐구》,
　　　《한국 근대 작가 작품 연구》, 《한국 현대 작가의 문제작 평설》 외 다수

홍성암(洪性岩)

고려대학교 국어국문학과 졸업. 한양대학교 대학원 국어국문학과 졸업(문학박사)
동덕여자대학교 교수, 소설가(현). 한국문인협회 회원(현)
한국소설가협회 이사(현). 국제펜 한국본부 소설분과 이사(현). 한민족 문화학회 회장(현)
창작집 《큰 물로 가는 큰 고기》, 《어떤 귀향》 외
대하역사소설 《남한산성》(전9권) 외 다수

• 저서 《문학의 이해》, 《현대 작가론》, 《한국 근대 역사소설 연구》 외 다수

기
획
·
감
수

영화 〈레 미제라블(장발장)〉의 한 장면

 # 논술 *세계대표문학*을 펴내며

21세기의 사회는 '**전자 문명 시대**'라 일컬어질 만큼 오늘날 전자 산업은 우리 생활의 거의 모든 분야에 다양하게 응용되고 있습니다. 출판 분야 또한 예외는 아니어서, 종래의 서책(Book) 대신에 이른바 '전자책(CD-ROM)'의 출간이 최근 들어 날로 증가하고 있습니다.

그러나 이러한 전자책은 영상 또는 모니터상으로 흥미 위주나 백과사전식 지식을 습득하는 데는 효과적일지 모르지만, 문학 공부를 위해서는 별로 도움이 되지 않습니다. 바꾸어 말하면, 문학 공부는 각 지면마다 살아 숨쉬는 표현 하나하나를 독자 자신의 머리로 음미하면서 작품을 읽어 나가는 가운데, 풍부한 상상력의 배양과 함께 작가의 의도와 그 작품의 내면을 깊이 있게 이해함으로써 이루어지는 것입니다.

이에 훈민출판사에서는, 자라나는 학생들이 범람하는 영상 매체에 길들여지기 전에, 어려서부터 유명한 세계문학 작품들을 책자를 통하여 감명 깊게 읽고 감상함으로써, 올바른 문학 공부의 기틀을 다지고, 아울러 전인 교육도 할 수 있도록 《논술 세계대표문학(전60권)》을 펴내게 되었습니다.

작품 선정은, 초·중·고등학교 국어 교과서와 역사 교과서에 실리거나 소개된 문학 작품을 중심으로 하되, 그리스 신화와 성경 이야기 등의 고전에서부터 중세·근대·현대에 이르기까지 세르반테스·셰익스피어·톨스토이 등 세계 유명 작가들의 장·단편 소설들을 엄선·수록하였습니다. 또 세계의 명시도 별권으로 엮었으며, 특히 각 단락마다 '**논술 문제**'를 제시하여, 장차 대학입시를 비롯한 각종 '논술 고사'에 예비 지식을 쌓을 수 있도록 배려하였습니다. 아무쪼록, 이 《논술 세계대표문학(전60권)》이 자라나는 학생들에게 문학 공부의 주춧돌이 되고, 나아가 미래를 살아가는 데 **정신적 자양분**이 되기를 진심으로 바라 마지않습니다.

훈민출판사

차례

장발장

위 고

지은이

1802~1885년. 프랑스 브장송에서 출생. 1831년 〈노트르담의 꼽추〉 등을 발표한 이후 10여 년 동안 작품 활동을 중단했다. 그 동안 국민의회 의원으로 선출되어 무상 교육과 투표권 확대를 위해 힘썼으며, 루이 나폴레옹을 반대하는 입장을 취하는 등 활발한 정치 활동을 펼쳤다. 이어 1851년 루이 나폴레옹이 황제를 자처하자, 1870년 프랑스로 다시 돌아오기까지 20여 년 동안 망명 생활을 한다.

망명 생활을 하면서 훌륭한 작품을 많이 썼는데, 서정 시집인 〈관조 시집〉, 서사시의 걸작인 〈세기의 전설〉, 〈징벌 시집〉 등과 〈장발장〉 등을 집필하였다.

장 발 장

수상한 나그네

1815년 10월 초순, 해가 지기 한 시간 전쯤, 먼 길을 걸어온 한 사나이가 프랑스의 시골 디뉴의 작은 거리로 들어서고 있었다.

때마침 이 집 저 집에서 창이나 문 앞에 더러 나와 있던 사람들은, 낯선 사나이를 바라보며 공연히 불안을 느꼈다.

"수상한 사람이군."

"왠지 무슨 일을 저지를 것처럼 생겼어."

아무리 떠돌아다니는 사람일지라도 이보다 더 초라한 행색을 하기는 어려운 일이었다. 그는 중키에 뚱뚱하고 힘깨나 쓸 듯한, 한창 나이의 사나이였다.

나이는 마흔여섯에서 여덟쯤 되었을까, 눌러쓴 차양 달린 가죽 모자가 햇볕과 바람에 그을어 땀이 흥건한 그 얼굴의 일부를 가리고 있었다. 누렇게 바랜 남루한 셔츠를 입고 있었으며, 푸른 줄이 쳐 있는 무명 바지는 낡고 닳아빠졌는데, 한쪽 무릎은 허옇고 다른쪽 무릎은 구멍이 나 있었다.

잿빛 작업복 웃도리는 팔꿈치께에 굵은 실로 꿰맨 푸른 무명 조각이 대어져 있고, 등에는 불룩한 새 배낭을 짊어지고, 손에는 마디투성이의 굵은 지팡이를 들고, 맨발에 징 박힌 구두를 신고, 머리는 헝클어져 있었고, 턱수염이 텁수룩하게 나 있었다.

사나이는 터덜터덜 걸어서 크르와 드 콜바라는 여관으로 들어갔다.

큰길 쪽으로 난 문을 열고 들어서자, 맛있는 음식 냄새가 코를 찔렀다. 거기는 여관의 주방이었다.

옆의 식당에서는 웃고 떠드는 소리가 들려왔다. 손님들 대부분은 마부였다.

"뭘 드릴까요?"

화덕 앞에 있던 사람이 누군가 들어온 기척을 알고 돌아보지도 않은 채 물었다. 그는 여관 주인 자캥 라바르로, 주방장 일까지 하고 있었다.

"식사와 방."

라바르는 그제야 고개를 돌렸다. 순간, 라바르의 얼굴빛이 달라졌다.

"돈만 치른다면……."

"돈은 있습니다."

사나이는 작업용 주머니에서 커다란 가죽 지갑을 꺼내 보였다.

"그렇다면 좋습니다."

사나이는 배낭을 문 옆에 내려놓고 난로 앞으로 가서 앉았다.

사나이가 등을 돌린 채 불을 쬐고 있는 동안, 라바르는 탁자 위에 있는 신문지 귀퉁이를 찢어 재빨리 무엇인가 썼다. 그것을 심부름하는 소년에게 주었다. 소년은 쪽지를 들고 시청 쪽으로 달려갔다.

"언제 식사를 할 수 있습니까?"

사나이가 물었다.

"네, 금방 나옵니다."

대답은 그렇게 해 놓고 라바르는 소년이 돌아오기를 기다렸다.

잠시 후, 소년이 돌아와 라바르에게 쪽지를 건네주었다. 쪽지를 보면서 라바르는 고개를 끄덕였다.

"손님, 죄송하지만 재워 드릴 수가 없겠는데요."

라바르의 말에 사나이는 자리에서 벌떡 일어났다.

"돈이 없을까 봐 그러는 겁니까? 그럼 미리 돈을 내겠소."

"그게 아니라, 빈 방이 없습니다."

"그렇다면 마구간이라도 좋소."

"안 되겠는데요."

"왜 안 된다는 거요?"

"말이 가득 차 있거든요."

"헛간 구석이라도 좋소, 짚 한 다발만 있으면 되니까……. 우선 식사나 하게 해 주시오."

"식사도 안 됩니다."

라바르는 정중하지만 단호하게 거절했다.

"제기랄, 난 지금 배가 고파 죽을 지경이오. 새벽부터 아무것도 못 먹고 계속 걸어왔소. 돈을 낼 테니, 아무거나 주시오."

"드릴 것이 없습니다."

"없다고? 그럼 저건 뭐요?"

사나이는 화덕을 가리켰다.

"미리 주문을 받은 것입니다."

"누가 주문한 거요?"

"마부들입니다. 돈도 다 받았습니다."

"아무튼 나도 이 집 손님이오. 배가 고파서 더 이상 움직일 힘도 없소."

사나이는 다시 주저앉아 꼼짝하지 않았다.

라바르는 허리를 굽혀 사나이의 귀에 대고 말했다.

"당신 이름을 말해 볼까요? 장발장! 첫눈에 수상한 느낌이 들어 시청으로 사람을 보내 알아보았소. 자, 이걸 보시오."

라바르는 소년이 들고 온 쪽지를 펴서 사나이에게 들이밀었다. 사나이는 흠칫했다.

사나이는 더 이상 말하지 않고, 배낭을 들어올리더니 문을 열고 밖으로 나갔다. 라바르와 손님들이 뒤에서 뭐라고 떠들어 댔지만, 그는 돌아보지 않았다.

거리에는 찬 바람이 휩쓸고 지나갔다. 사나이는 얼마쯤 걷다가, 어디 쉬어 갈 만한 곳이 없을까 하고 주위를 둘러보았다. 허술한 여인숙이나 주막이 좋을 것 같았다.

쇼포 거리에 불 켜진 집이 있었다. 사나이는 그 집 앞에서 걸음을 멈추고, 유리창을 통해 안을 들여다보았다. 목로 술집으로, 남자들 몇 명이 술을 마시고 있었다.

안으로 들어가는 문이 두 군데 있었는데, 하나는 한길 쪽으로, 하나는 지저분한 짚더미가 있는 안마당으로 나 있었다.

사나이는 어디로 들어갈까 하고 잠시 망설이다가 조심스럽게 안마당으로 들어갔다. 그리고 문 앞에서 걸음을 멈추었다가, 조용히 손잡이를 돌렸다.

"저녁 식사 됩니까? 방도 있으면 좋겠는데……."

문 안으로 들어선 사나이가 공손하게 물었다.

"어서 오십시오. 식사도 되고, 방도 있습니다. 이쪽으로 와서 불을 쬐시지요."

주인이 친절하게 맞아 주었다.

사나이는 불 옆으로 가서 앉았다. 먹음직스러운 냄새가 주린 창자를 자극했다. 탁자에 둘러앉아 술을 마시던 남자들이 낯선 사나이를 바라보았다. 그 가운데 한 남자가 주인에게 다가가 무엇이라고 속삭였다.

"여기서 나가 주시오."

음식이 나오기를 기다리고 있던 사나이는 갑작스러운 주인의 말에 고개를 번쩍 들었다.

"나가라고요?"

그러나 사나이는 곧 체념하는 표정이 되었다.

"그러지요."

사나이는 지팡이와 배낭을 챙겨들고 밖으로 나왔다.

주막 앞에 아이들이 모여 있었다. 크르와 드 콜바 여관에서부터 쫓아온 아이들이었다. 아이들은 사나이에게 돌을 던졌다. 사나이는 지팡이로 아이들을 위협했다. 아이들은 새 떼처럼 흩어졌다.

얼마 후, 사나이는 우중충한 교도소 건물 앞에서 걸음을 멈추었다. 그는 문에 늘어진 쇠줄을 잡아당겨 종을 울렸다. 그러자 사잇문이 열리고 교도관이 나타났다.

"하룻밤만 재워 주십시오."

사나이는 모자를 벗고 정중하게 말했다.

"여기가 여관인 줄 알아? 나쁜 짓을 하고 붙들려 오면 재워 주지."

교도관이 사잇문을 닫으며 차갑게 말했다.

사나이는 교도소를 지나, 밝은 불빛이 새어 나오는 이층집 앞에서 다시 걸음을 멈추었다. 산울타리 너머로 집 안이 훤히 들여다보였다.

하얗게 석회칠을 한 넓은 방 한가운데 식탁이 놓여 있었다. 그 위에 놓인 갈색의 수프 그릇에서는 김이 모락모락 오르고, 은빛 주전자에는 포도주가 가득 차 있었다. 식탁 앞에는 농부로 보이는 40대 사나이가 앉아 아이를 안은 채 어르고 있었다. 그 옆의 젊은 여자는 갓난아이에게 젖을 물리고 있었다.

'저렇게 단란한 가정이라면 인정을 베풀어 줄지도 몰라.'

사나이는 그런 생각으로 창문을 두드렸다. 그러나 그 소리가 너무 작아 안에까지 들리지 않는 것 같았다. 그는 조금 더 세게 두드렸다.

"누구요?"

농부가 램프를 들고 나와 문을 열었다.

"실례합니다. 돈을 드릴 테니 수프 한 그릇만 주십시오. 그리고 헛간이라도 좋으니, 잠자리도 좀 부탁합니다."

"누구신데 이 밤중에……."

"해안 지방에서 왔습니다. 온종일 걸었더니, 이제는 꼼짝할 수도 없습니다."

"돈을 내겠다면 들어오시오. 그런데 왜 여관에 가지 않고?"

"빈 방이 없답니다."

"그럴 리 없소. 축제일이나 장날도 아닌데. 크르와 드 콜바 여관에도 가 봤소?"

"네."

"그러면 쇼포 거리의 주막에라도 가지 그랬소?"

"거기도 가 봤지만……."

사나이의 말에 농부는 문득 생각난 듯 의심스러운 표정을 지었다.

"그럼 당신은 혹시?"

농부는 새삼스럽게 사나이를 훑어보더니, 재빨리 안으로 들어가 램프를 식탁 위에 놓고 벽에 걸린 엽총을 내렸다.

그러는 사이에 농부의 아내는 두 아이를 안은 채 남편의 등뒤로 몸을 숨겼다.

"나가!"

농부는 사나이를 엽총으로 위협했다.

"제발 부탁입니다. 물이라도 한 그릇 주십시오."

사나이는 간곡하게 말했다.

"쏘아 버릴 테다!"

사나이는 뒷걸음질을 쳤다. 농부는 사나이를 밀어 내고 쾅 소리가 나게 문을 닫아 버렸다. 곧 빗장 지르는 소리가 들리고, 이어 창문에 덧창이 내려졌다. 덧창에도 쇠막대를 가로지르는 소리가 들렸다.

밤이 점점 깊어 갔다. 찬바람이 사정없이 사나이를 후려쳤다. 사나이는 옷깃을 여미며 무작정 앞으로 나아갔다.

얼마쯤 가다 보니, 움막 같은 것이 눈에 띄었다. 사나이는 그 안으로 들어갔다.

움막 안은 제법 따뜻했다. 사나이가 배낭을 내려놓았을 때, 으르렁거리는 소리가 들려왔다. 그 곳은 움막이 아니라 개집이었던 것이다.

사나이는 지팡이로 개의 공격을 막으며 개집에서 나왔다.

'아, 나는 개보다도 못하구나!'

그는 왔던 길을 되돌아갔다.

그 사이에 디뉴 마을의 성문은 모두 닫혀 있었다.

사나이는 성벽의 무너진 틈을 통해 다시 시내로 들어왔다. 추운 밤거리를 발길 닿는 대로 헤매다가 대성당이 있는 광장에 이르렀다.

광장 모퉁이에 인쇄소가 하나 있었다. 그는 기운이 다 빠져 그 인쇄소 문간에 있는 긴 돌의자에 드러누웠다.

그 때 성당에서 나온 한 노부인이 그를 발견하고 다가왔다.

"여보세요, 왜 이런 곳에 있지요? 춥지 않아요?"

"19년 동안 나무 요를 깔고 잤으니, 이젠 돌 요를 깔고 자는 거요."

그는 퉁명스럽게 대꾸했다.

"군인이었나 보죠?"

"그렇소."

"왜 여관에 가지 않는 건가요?"

노부인은 사뭇 걱정스런 투로 물었다.

"돈이 없으니까."

"어쩌나! 난 지금 4수밖에 없는데."

"그거라도 좋으니 이리 주시오."

사나이는 낚아채듯 돈을 가져갔다.

"그걸로는 여관에 갈 수 없을 거예요. 어디서든 하룻밤 재워 달라고
해 보지 그랬어요?"

"집집마다 다녀 보았소."

"그런데요?"

"모두 쫓아 냈소."

그 친절한 노부인은 사나이의 팔을 잡아 끌더니 광장 건너편을 가리
켰다.

"저 집에도 가 보았나요?"

"거긴 안 갔소."

"그럼 한번 가 보세요."

미리엘 주교

그 집엔 성당의 미리엘 주교가 살고 있었다.

디뉴의 주교관은 원래 자선 병원과 나란히 있었다. 주교관은 아름다
운 석조 건물로, 거실과 식당, 서재 등이 모두 엄청나게 넓었다. 주교관
에 비해 그 옆에 딸린 자선 병원은 좁고 낮은 이층 건물이었다.

미리엘 주교는 디뉴에 온 지 사흘 만에 자선 병원을 방문했다.

병원 방문을 끝내고 미리엘 주교는 병원 원장을 주교관으로 불렀다.

"아무리 생각해도 이건 잘못된 것이오. 나는 누이동생하고 하녀, 세 사람뿐입니다. 그런데 병원에는 가엾은 환자들이 복도에까지 누워 있더군요. 당장 주교관과 병원을 바꿉시다."

이렇게 해서 주교관과 병원이 바뀌었던 것이다.

미리엘 주교는 가난하고 불우한 사람들의 친구였다. 그의 일 년 봉급은 1만5천 프랑인데, 그 가운데 1만4천 프랑을 자선 사업에 기부하고, 자기는 겨우 1천 프랑으로 빈민과 같은 생활을 하고 있었다.

그날 저녁 미리엘 주교가 식당에 들어섰을 때, 하녀 마글루아르 부인은 주교의 누이동생인 미스 바티스틴에게 무엇인가 수다스럽게 이야기를 하고 있었다.

저녁 찬거리를 사러 나갔다가 온 거리에 퍼진 소문을 듣고 온 모양이었다. 수상쩍은 부랑자가 하나 들어왔다, 그러니 늦게 돌아다니다가는 봉변을 당할지도 모른다는 등 사람들의 말을 그대로 전했다.

그녀의 말에 의하면, 지사와 시장의 사이가 좋지 않아 무슨 사건을 일으켜서라도 서로 모함하려 하고 있는 때이니만큼 경찰도 믿을 수 없다, 따라서 집집마다 알아서 빗장을 지르고 '단단히 문단속을 해야 한다'는 것이었다.

미스 바티스틴은 걱정스러운 눈길로 오빠를 바라보았다. 그러나 미리엘 주교는 별다른 말이 없이 태연했다.

"사실 이 집은 너무 허술해요. 주교님이 허락해 주신다면, 당장 자물쇠 가게에 가서 전에 쓰던 빗장을 도로 달라고 해야겠어요. 오늘 밤만이라도 현관문에 빗장을 걸어야 하겠어요. 주교님은 언제나 문을 열어 놓고 아무나 들어오라고 하시는데, 만일 그 부랑자가 나타난다면……."

마글루아르 부인이 여기까지 말했을 때, 누군가 문을 두드렸다.

"들어오시오."

미리엘 주교는 마치 기다리고 있었다는 듯이 말했다.

문이 열리고 한 사나이가 성큼 들어섰다. 마글루아르 부인은 제자리에서 움직이지도 못한 채 바들바들 떨었고, 미스 바티스틴은 엉거주춤 일어서며 오빠를 바라보았다. 그러나 미리엘 주교는 사나이에게 조용한 눈길을 보냈다.

무슨 일로 왔느냐고 물을 것이 뻔하므로 주교의 말을 기다릴 필요가 없다는 듯, 사나이가 먼저 입을 열었다.

"나는 장발장이라고 합니다. 19년 동안이나 감옥살이를 하고, 나흘 전에 석방되었지요. 한 끼도 먹지 못하고 온종일 걸어서 이 고장에 왔습니다. 물론 시청에 들러 노란색 통행증을 보였습니다. 그런데 그것 때문에 여관이나 주막에서 내쫓겼습니다. 음식도 사 먹을 수 없었고, 하룻밤 잘 방도 얻지 못했습니다. 감옥에서라도 잘까 해서 갔지만, 문을 열어 주지 않았습니다. 그래서 개집을 찾아들었는데, 개도 물어뜯으려 했습니다. 마치 개도 내가 누구라는 걸 알고 그러는 것 같았습니다. 어쩔 수 없이 저 광장의 돌 위에 누워서 자려고 하는데, 어느 친절한 부인이 이 집으로 가 보라고 말해 주더군요. 그래서 찾아왔습니다. 여기는 대체 어떤 곳입니까? 여관인가요? 그렇다면 돈을 내겠습니다. 109프랑 15수. 감옥에서 19년 동안 일해서 번 돈입니다. 제발 먹을 것을 좀 주십시오. 그리고 재워 주시면 고맙겠습니다."

"마글루아르 부인, 손님용 침대에 흰 시트를 깔아 놓구려."

미리엘 주교가 마글루와르 부인에게 일렀다.

주교의 말이 떨어지기가 무섭게 두 여자는 방을 나갔다.

"자, 이쪽으로 와 앉아 불을 쬐시오. 곧 식사가 준비될 겁니다. 식사하는 동안 잠자리 준비도 되겠지요."

사나이는 비로소 굳었던 표정을 풀고 식탁 앞으로 서너 걸음 다가왔다. 놀라움과 기쁨과 의혹이 뒤섞인 얼굴이었다. 그는 마치 미친 사람처럼 중얼거리기 시작했다.

"정말입니까? 나를 쫓아 내지 않고 재워 주시는 겁니까? 아, 마침내 식사를 하고, 이불과 시트가 있는 침대에서 자게 된다! 나는 19년 동안 침대에서 자 본 적이 없답니다. 나는 '너' 아니면 '이 새끼'라는 소리만 들었는데 '당신'이라고 불러 주시는군요. 나는 틀림없이 쫓겨날 줄 알고 있었습니다. 그래서 미리 신분을 밝혔던 것입니다. 그런데 식사를 하고 잠도 자게 되었군요. 틀림없이 돈은 드리겠습니다. 당신은 참으로 좋은 분입니다. 여관 주인이신가요?"

"나는 여기 살고 있는 사제입니다."

미리엘 주교가 조용히 말했다.

"사제님이라고요? 오오, 고마우신 사제님! 그럼 돈은 받지 않으시겠군요? 저 커다란 성당의 주임 사제님? 아아, 과연! 나도 참 정신이 없군. 사제님의 그 둥근 모자를 몰라보다니!"

사나이는 계속 지껄여 대면서 배낭과 지팡이를 한쪽 구석에 내려놓고 자리에 앉았다. 미스 바티스틴은 동정어린 눈길로 사나이를 바라보고 있었다.

"사제님, 당신은 참으로 인정이 많으신 분입니다. 사람을 조금도 업신여기지 않고……. 정말 돈을 내지 않아도 되는 거죠?"

"물론. 그런데 돈을 가지고 있다고 했죠? 얼마나 있소?"

미리엘 주교가 물었다.

"네, 109프랑 15수를 가지고 있습니다."

"109프랑 15수. 그만큼 버는 데 얼마나 걸렸다고요?"

"19년입니다."

"19년!"

주교는 길게 한숨을 쉬었다.

"나는 그 돈을 고스란히 갖고 있습니다. 나흘 동안 그라스에서 수레에서 짐 내리는 것을 거들어 주고 번 돈 25수밖에 쓰지 않았습니다."

사나이가 이야기하고 있는 동안 미리엘 주교는 그 때까지 열려 있는 문을 닫았다.

마침내 마글루아르 부인이 한 사람분의 그릇을 들고 와 그것을 식탁에 올려놓았다.

"마글루아르 부인, 그 그릇을 되도록 벽난로 가까이에 놓아요."

주교가 말했다. 그리고 사나이 쪽을 돌아보며 말을 이었다.

"알프스의 밤바람이 몹시 찹니다. 당신, 추우시죠?"

주교가 '당신' 이라는 말을 위엄있는 목소리로 자못 점잖게 말할 때마다 사나이의 얼굴은 밝게 빛났다.

"이 램프는 도무지 밝지 못하군."

마글루아르 부인은 그 뜻을 알아차리고, 주교의 침실 벽난로 위에 있는 은촛대 두 개를 가져다가 불을 붙여 식탁 위에 놓았다.

"사제님, 당신은 정말 좋은 분이시군요. 나를 업신여기지도 않고 집 안에 들여놓고, 또 촛불까지 밝혀 주시니 말입니다. 나 같은 몹쓸 인간에겐 너무 과분합니다."

"당신은 굳이 신분을 밝히지 않아도 좋았소. 여기는 내 집이 아니라 예수 그리스도의 집이오. 이 문으로 들어오는 사람에게는 이름을 묻지 않고, 다만 괴로움이 있는지 없는지만 물을 뿐이오. 배고프고 목이 말랐다면 잘 찾아오셨소. 내게 고마워하지는 마시오. 내가 내 집에 당신을 맞아들였다고 생각해서는 안 되오. 여기는 내 집이라기보다 당신 집이오. 여기 있는 것은 모두 당신 것이오. 내가 왜 당신 이름을 알 필요가 있겠소? 나는 당신의 진짜 이름을 알고 있는데."

사나이는 놀라서 눈이 휘둥그레졌다.

"정말입니까? 사제님은 내가 어떻게 불리는지 알고 계셨습니까?"

"그렇소. 당신은 내 형제요."

"아, 사제님!"

사나이는 고개를 저었다.

"나는 여기 들어올 때 굉장히 배가 고팠습니다. 그런데 당신이 너무나 친절하게 대해 줘서 이제는 배고픈 것도 잊어버렸습니다."

두 사람이 말하는 동안 식탁에 음식이 차려졌다.

주교의 오른쪽에는 사나이가 앉고, 왼쪽에는 미스 바티스틴이 앉았다.

식탁에는 수프, 베이컨, 양고기, 무화과, 치즈, 빵이 놓여 있었는데,

여느 때와 다른 것이 하나 곁들여졌다. 그것은 포도주였다.

마글루아르 부인이 포도주를 내오자, 미리엘 주교는 무척 유쾌한 표정이 되었다. 주교는 습관에 따라 감사의 기도를 올리고 나서 손수 수프를 접시에 따랐다.

사나이는 정신없이 먹기 시작했다.

"식탁에 뭔가 빠진 것 같은데."

갑자기 주교가 말했다.

손님을 초대하여 식사를 할 때, 주교는 으레 식탁에 여섯 사람 몫의 은그릇을 늘어놓게 했다. 그런데 라글루아르 부인은 세 사람 몫의 은그릇만 내놓았던 것이다.

이와 같이 불필요한 은그릇들을 자랑삼아 늘어놓는 것은 가난을 품위로 삼고 있는 이 가정에 걸맞지 않는 듯하지만, 욕심을 모르는 늙은 주교의 천진스러운 허영이라고 할 수 있었다.

마글루아르 부인은 주교의 말을 알아듣고 얼른 밖으로 나갔다. 그리고 얼마 안 되어 은식기 세 벌을 가지고 와서 식탁 위에 늘어놓았다.

사나이는 식사를 하면서 그 반짝이는 은그릇들을 보았다.

식사가 끝나자, 미리엘 주교는 식탁에서 은촛대 하나를 집어 들고 다른 하나는 손님에게 건네주며 말했다.

"자, 당신 방인 기도실로 안내하지요."

주교가 앞장을 서고, 사나이가 뒤를 따랐다.

기도실로 가려면 도중에 주교의 침실을 거쳐야 했다. 마침 라글루아르 부인이 주교의 침대 머리맡에 있는 벽장에 은그릇을 넣고 있었다. 그것은 그녀가 자기 전에 마지막으로 하는 일이었다.

손님방에는 희고 깨끗한 잠자리가 마련되어 있었다. 사나이는 촛대를 작은 탁자 위에 놓았다.

"그럼 편히 쉬시오. 내일 아침 떠나기 전에 집에서 짠 우유를 한 잔 드리지요."

"고맙습니다, 사제님."

사나이가 말했다.

그런데 그는 갑자기 주교를 돌아보더니, 팔짱을 끼고 험악한 눈초리로 쏘아보며 목쉰 소리로 부르짖었다.

"아, 결국 당신은 나를 집 안에서 자게 하는군요. 내가 살인범인지 아닌지도 모르면서 말입니다."

"그건 주님께서 아실 일이오."

주교는 천장을 바라보며 말했다.

그런 다음, 기도를 드린다기보다 혼잣말을 하는 것처럼 입술을 들썩이며 오른쪽 손가락을 두 개 쳐들어 사나이에게 축복을 내렸다.

주교가 자기 방으로 돌아간 후, 몹시 지쳐 있던 사나이는 죄수들이 하는 식으로 콧김으로 촛불을 껐다. 그리고 옷도 벗지 않은 채 침대에 몸을 던지고, 곧 깊은 잠에 빠져들었다.

장발장. 그가 그토록 오랜 세월 동안 감옥살이를 하게 된 데는 기막힌 사연이 있었다.

그는 파리에서 가까운 라 브리 지방의 한 가난한 농가에서 태어났다. 아주 어려서 아버지와 어머니를 여의었다. 어머니는 출산 후의 몸조리가 잘못되어 세상을 떠났고, 아버지는 나뭇가지 치는 일을 직업으로 하고 있었는데 나무에서 떨어져 목숨을 잃었다.

고아가 된 그에게 피붙이라곤 시집간 누나 하나밖에 없었다. 누나가 어린 그를 맡아 키웠다. 가난한 탓에 글도 배우지 못하고 자란 장발장은, 나이가 들어서는 파브롤에서 나뭇가지 치는 일을 했다.

누나가 스물다섯 살 되던 해에 매형이 죽었다. 과부가 된 누나에게는 자식이 일곱 명이나 있었다. 맏이가 여덟 살, 막내가 한 살이었다. 장발장은 누나 가족들의 생계까지 떠맡게 되었다. 그것은 자기를 길러 준 누나에 대한 의무였다. 그러나 그가 노동을 해서 일곱 명이나 되는 조카들을 제대로 먹이기는 어려웠다. 노동이 고된 데 비해 수입은 보잘것없었기 때문이다.

저녁이면 그는 지쳐서 돌아와, 누나가 만들어 주는 수프를 말없이 먹곤 했다. 그가 식사를 할 때면, 으레 누나가 옆에 앉아 있다가 그의 접시에서 고기를 골라 내어 아이들에게 먹이곤 했다. 그는 머리를 숙인 채 아무것도 보이지 않는 것처럼 묵묵히 수프 떠먹는 동작을 되풀이할 뿐이었다.

늘 허기져 있던 어린 조카들은 가끔 다른 집에 가서 거짓말을 하고 우유를 얻어 마셨다. 어머니가 돈을 갚아 줄 테니 우유를 달라고 해서 배를 채우는 것이었다.

물론 아이들은 어머니 몰래 울타리 뒤나 길모퉁이 같은 곳에 숨어서 우유를 마시곤 했는데, 서로 우유 그릇을 빼앗느라고 다투어 옷을 더럽히기가 일쑤였다. 아이들의 우유 값은 번번이 누나 몰래 장발장이 치러야 했다.

나뭇가지를 치는 계절에는 하루에 24수는 벌 수 있었다. 그 밖의 계절에는 들일이나 품일, 농장의 소몰이, 농사일 같은 것을 닥치는 대로 했다. 자기가 할 수 있는 일이면 다 했다. 누나는 누나대로 품팔이를 했다. 그래도 가난을 면하기가 어려웠다. 그들은 갈수록 가난에 쫓기고 몰리는 비참한 생활을 하게 되었다.

그러던 중 어느 혹독한 겨울이었다. 장발장에게 일거리가 없었다. 집에는 단 한 조각의 빵도 없었다. 어린아이들이 일곱이나 있었는데도!

어느 일요일 저녁, 장발장은 거리로 나왔다. 답답한 가슴을 억누르며 길을 걷던 그는 어느 빵집 앞에서 걸음을 멈추었다.

진열장 안에는 먹음직스러운 빵들이 수북하게 쌓여 있었다. 그는 생각할 겨를도 없이 진열장 유리창을 깨뜨렸다. 그리고 깨진 구멍으로 팔을 들이밀어 빵 한 덩어리를 꺼냈다.

막 잠들려던 주인 모베로 이자보는 재빨리 밖으로 뛰어나왔다.

"도둑이야! 도둑 잡아라!"

갑작스런 소동에 장발장 자신도 놀라 빵을 내던지고 마구 뛰었으나, 얼마 못 가서 뒤쫓던 사람들에게 붙잡히고 말았다.

그것은 1795년에 일어난 일이었다. 장발장은 '남의 집에 침입하여 도둑질한 죄'로 재판을 받게 되었다. 그런데 빵을 훔친 것과는 상관 없이 또 한 가지 죄가 추가되었다. 그는 오래 전부터 소총을 하나 갖고 있었는데, 그것으로 가끔 밀렵을 했다. 밀렵자는 밀수입자와 비슷하게 취급되어, 그에게 매우 불리한 죄목이 생긴 셈이었다. 장발장은 5년의 징역을 선고받고, 항구의 교도소로 보내지게 되었다.

1796년 4월 22일, 비세트르에서 많은 죄수들이 한 쇠사슬에 묶였다. 그 중에 장발장도 끼여 있었다.

"나는 파브롤의 나뭇가지 치는 사람이오."

목에 채워지는 쇠사슬에 나사못이 박힐 때 장발장은 눈물을 흘리며 중얼거렸다.

장발장은 짐수레에 실려 27일 만에 툴롱 항구에 있는 교도소로 옮겨졌다. 거기서 붉은 죄수복으로 갈아입은 그는 그 때부터 장발장 대신 24601호로 불리게 되었다.

누나와 조카들을 생각할 때마다 장발장은 가슴이 아팠다. 그들의 운명은 뻔했다. 사회로부터 버림받고 어딘가로 뿔뿔이 흩어졌을 것이다.

누나 혼자 힘으로는 일곱 명의 자식들을 보살필 수 없었을 테니까.

툴롱에 있는 동안 그는 꼭 한 번 누나의 소식을 들었다. 감옥살이 4년 만의 일이었다. 그 때 그들이 흩어졌다는 사실을 확인할 수 있었다. 고향에서 알고 지내던 어떤 사람이 파리에서 누나를 보았다고 했다.

"파리의 생 쉴피스 교회 근처 빈민가에서 막내 하나만 데리고 살더군. 나머지 여섯은 어디로 갔는지 몰라. 아마 그녀 자신도 모르는 모양이야. 그녀는 어느 인쇄소에 나가 종이를 접고 책을 꿰매는 일을 하고 있다네."

장발장이 들은 것은 그것뿐이었다. 그 후로는 그들에 관한 어떤 소식도 듣지 못했다.

그 4년째의 해가 끝나 갈 무렵, 장발장은 교도소 동료들의 도움으로 탈옥했다. 탈옥한 후, 그는 들판을 헤맸다. 아무것도 먹지 못하고 한숨도 못 잤지만, 잡히지 않으려고 달아나는 것도 자유로운 행위임에는 틀림없었다. 그러나 그 자유는 단 이틀로 끝났다.

그는 잡혀서 다시 교도소로 돌아왔다. 그 일로 그는 3년을 더 선고받았다. 그래서 그의 형기는 8년이 되었다.

6년째 되던 해, 그는 다시 탈옥을 시도했다. 그러나 성공하지 못했다. 교도관들은 죄수들을 점호할 때 그가 없어졌음을 알았다. 그 때 그는 건조 중인 배의 용골 밑에 숨어 있다가 순찰하던 사람들에게 발견되었다. 그는 자기를 잡으러 달려온 교도관들에게 덤벼들었다. 탈옥에 반항까지 하는 바람에 그의 형기는 5년이 연장되어 13년이 되었다. 그 중 2년 동안은 두 겹으로 된 쇠사슬로 묶이는 벌을 받게 되었다.

교도소 안에서 그는 좀처럼 말을 하지 않는 편이었다. 웃지도 않았다. 오직 탈출만을 꿈꾸었다. 그는 동작이 날렵하고 억센 힘을 가지고 있었다. 무거운 물건을 거뜬히 들어올리는 그에게 동료들은 '인간 기중기'

라는 별명을 붙여 주었다.

언젠가 툴롱 시청의 발코니를 수리할 때, 그 발코니를 떠받치고 있는 유명한 조각상 하나가 삐져 나와 쓰러지게 될 뻔한 일이 있었다. 그 때 장발장은 어깨로 발코니를 떠받친 채 일꾼들이 올 때까지 버텼다.

그는 체력이 강할 뿐만 아니라 남다른 수단도 지니고 있었다. 잡을 데라곤 없는 수직의 벽면을 요술 부리듯 타고 올라가는 재주가 있었다. 일을 할 때 그는 가끔 그런 재주를 발휘하여 교도소 지붕까지 올라가곤 했다. 그럴 때면 탈옥하고 싶은 충동이 그를 사로잡았다.

10년째 되던 해에 그는 세 번째로 탈옥을 감행했다. 역시 성공하지 못했다. 형기는 3년이 추가되어 16년으로 늘어났다.

13년째 되던 해에 마지막으로 탈옥을 시도했으나, 4시간 만에 붙잡혔다. 그 4시간으로 다시 3년이 추가되어 그의 형기는 모두 19년이 되었다.

툴롱에는 수도사들이 경영하는 죄수들을 위한 학교가 있어, 불행한 죄수들 중 뜻있는 자들에게 가장 필요한 것을 가르치고 있었다. 장발장은 그 뜻있는 자들 틈에 끼여, 마흔 살의 나이로 그 학교에 다니며 읽기와 쓰기와 산수를 배웠다. 그러나 그가 지식을 얻는 것은 사회에 대한 증오심을 키우려는 수단일 뿐이었다.

1815년 10월, 장발장은 마침내 석방되었다.

"이제부터 자유다!"

그 말을 듣는 순간엔 거짓말 같고, 도저히 현실에서는 있을 수 없는 일같이 생각되었다.

교도소 문을 나와 눈부신 햇빛 속에 섰을 때야 비로소 자유를 실감할 수 있었다.

장발장의 주머니에는 19년 동안 형무소에서 일한 대가로 받은 109프랑 15수의 돈과, 전과자에게 발급되는 노란색 통행증이 들어 있었다.

장발장은 곧 새로운 생활이 열릴 것이라고 믿었다. 그러나 세상에 나오자 그는 노란색 통행증을 가져야 하는 자유가 어떤 것인지를 곧 깨닫게 되었다.

그는 교도소에 있는 동안 모인 돈이 171프랑은 될 것이라고 생각했다. 하긴 일을 쉰 일요일과 축제일까지 계산에 넣은 것은 그의 잘못이다. 그 휴일을 빼면 19년 동안에 약 24프랑이 줄어든다. 그러나 각종 공제비는 또 무엇인가. 결국 그가 손에 쥔 돈은 109프랑 15수뿐이었다. 그는 꼭 도둑을 맞은 것 같은 생각이 들었다.

석방된 다음 날, 그는 그라스의 오렌지 증류소 앞에서 짐을 내리고 있는 사나이들을 보았다. 그는 일을 시켜 줄 수 없느냐고 물었다. 마침 일을 서두르고 있던 참이라, 그들은 그렇게 하라고 했다. 그는 영리하고 기운이 센데다 솜씨가 좋았다. 그는 최선을 다했다. 주인은 매우 만족한 눈치였다.

그런데 지나가던 헌병이 다가와 그에게 신분증을 보자고 했다. 그는 노란색 통행증을 내보일 수밖에 없었다.

이튿날 아침엔 떠나지 않으면 안 되었으므로, 그는 저녁때 증류소 주인에게 가서 품삯을 달라고 청했다. 주인은 아무 말 없이 하루 30수인 품삯을 그에게는 25수만 주었다. 그는 항의했다.

"너는 그것으로 충분해."

주인이 딱 잘라 말했다.

그가 계속 불평하자, 주인은 그를 쏘아보며 말했다.

"콩밥이나 먹지 않도록 조심해!"

여기서도 그는 도둑맞았다고 생각했다.

석방은 해방이 아니었다. 교도소에서는 나왔지만, 그는 여전히 사회의 편견이라는 쇠사슬에 묶여 있었다.

은촛대와 은그릇

대성당의 시계가 새벽 2시를 칠 때 장발장은 잠을 깼다. 침대가 너무 푹신해서 깊은 잠을 잘 수가 없었다.

다시 눈을 감고 잠을 청하려 했으나, 갖가지 일들이 떠올라 잠이 안 왔다.

오랜 옛날의 일과 최근의 일들이 어수선하게 뒤얽혀 마음이 어지러웠다. 많은 생각이 떠올랐으나, 그중에서도 특히 몇 번이나 나타나 다른 생각을 쫓아 버리는 것이 한 가지 있었다. 그것은 마글루아르 부인이 식탁 위에 늘어놓았던 여섯 벌의 은그릇과 커다란 스푼이었다. 옛날 은 그릇이니, 그 스푼까지 합하면 아마 200프랑은 나갈 것이다. 그가 19년 동안 번 돈의 갑절이다.

그는 그 은그릇이 미리엘 주교 방의 벽장에 있는 것을 알고 있었다. 마글루아르 부인이 거기에 집어 넣는 것을 똑똑히 보았던 것이다.

시계가 3시를 쳤다. 그는 두 눈을 번쩍 뜨고 윗몸을 일으켜, 침실 구석에 던져 놓았던 배낭을 더듬어 보았다. 그리고는 두 다리를 늘어뜨려 발끝을 마룻바닥에 대고 침대 위에 걸터앉았다.

그런 자세로 그는 한참 동안 멍하니 생각에 잠겨 있었다. 만약 누군가 어둠 속에서 혼자 그런 모습으로 앉아 있는 그를 보았더라면, 아마 소름이 끼쳤을 것이다.

만약 시계가 땡 하고 15분인가 30분을 알리는 종을 치지 않았더라면, 그는 날이 샐 때까지 그렇게 앉아 있었을 것이다.

그 시계 소리가 그에게는 '자, 빨리!' 라고 말하는 것처럼 들렸던 모양이다. 그는 벌떡 일어나 어렴풋이 보이는 창문 쪽으로 다가갔다. 마침 보름이어서 그다지 어둡지 않았다. 창문을 열었다. 찬바람이 휙 몰아쳐 들어오자, 그는 얼른 창문을 닫았다. 그러나 창문을 그냥 열었다 닫은 것이 아니었다. 그 사이에 뜰을 살펴보았던 것이다. 담장은 쉽게 뛰어넘을 수 있을 정도로 낮았다.

그렇게 살펴보고 난 뒤, 그는 어떤 결심을 한 듯 배낭을 끌러 안을 더듬더니 무엇인가 꺼내 침대 위에 놓았다. 이어 구두를 배낭 주머니에 집어 넣은 다음, 모자를 푹 눌러 쓰고, 지팡이를 더듬어 찾아 왼손에 들고, 오른손에는 침대 위에 놓아 두었던 것을 움켜쥐었다. 그것은 광부들이 갱도 안에서 사용하는 쇠촛대였는데, 툴롱 교도소의 죄수들이 언덕의 바위를 쪼갤 때 쓰던 것이었다.

채비를 끝낸 장발장은 살그머니 문을 열고 나와 옆방으로 갔다. 미리엘 주교가 자고 있는 방이었다.

주교의 방문은 조금 열려 있었다. 손으로 문을 밀어 보았다. 문은 소리 없이 열렸다. 그는 용기를 내어 문을 더 밀었다. 그러자 문짝과 기둥을 연결한 돌쩌귀가 끼익 소리를 냈다. 그는 흠칫 놀라 그 자리에 멈춰 섰다. 심장 뛰는 소리가 마치 대장간의 쇠망치 소리처럼 들렸다. 이제 곧 주교가 일어나고, 늙은 두 부인이 놀라 소리를 지르며 달려나올 것이다. 그리고 15분도 안 되어 사방에서 잠을 깬 사람들이 달려오고, 헌병이 달려와 그를 체포할 것이다.

장발장은 몸을 떨었다. 마지막이라는 생각이 들었다. 몇 분이 지났다. 그런데 아무 일도 일어나지 않았다. 문은 열린 채 그대로 있었고, 방 안은 조용했다. 아무도 깨지 않은 것이었다. 위기는 넘긴 것 같았다. 그러나 여전히 가슴은 걷잡을 수 없이 두근거렸다.

그는 결심을 하고 방 안으로 발을 들여놓았다. 숨을 죽인 채 조심스럽게 걸어 침대 가까이 갔다. 주교는 고른 숨소리를 내며 잠들어 있었다.

장발장이 벽장 앞에 이르렀을 때, 검은 구름이 흩어지면서 달빛이 방 안으로 흘러들어왔다. 달빛에 주교의 얼굴이 드러났다. 주교는 평화롭게 잠들어 있었다. 머리는 베개를 반듯하게 베고, 손은 침대 밖으로 늘어뜨리고 있었다.

장발장은 잠시 우두커니 서서 주교의 얼굴을 내려다보았다. 그는 지금까지 믿음과 행복에 찬 그런 얼굴을 한 번도 본 적이 없었다. 그는 왠지 두려워져 모자를 벗었다가 다시 썼다. 그러다가 이내 몸을 홱 돌려 벽장 자물쇠를 부수기 위해 쇠촛대를 쳐들었다. 그러나 자물쇠는 잠기지 않은 채 그냥 걸려 있었다.

그 후로는 그의 행동에 막힘이 없었다. 벽장문을 열어 은그릇이 담긴 바구니를 꺼내 자기가 누웠던 기도실로 돌아왔다. 그는 곧 창문을 열어젖힌 채 창턱에 다리를 걸치고 앉아 은그릇을 배낭 속에 집어 넣었다. 그리고 창 밖으로 나와 뜰을 가로질러 가다가 바구니를 내동댕이친 다음, 담장을 훌쩍 뛰어넘어 달아나 버렸다.

이튿날 해뜰 무렵, 미리엘 주교는 뜰을 산책하고 있었다. 마글루아르 부인이 허둥지둥 달려왔다.

"주교님, 혹시 은그릇 바구니를 못 보셨나요?"

주교는 방금 화단 속에서 그 바구니를 주운 참이었다. 그는 그것을 마글루아르 부인에게 내밀었다.

"바구니라면 여기 있소."

"어머나, 아무것도 없잖아요!"

"왜 아무것도 없어? 이렇게 있는데."

"은그릇 말이에요."

"그럼 바구니를 찾은 게 아니라 은그릇을 찾았소? 그건 나도 모르겠는데."

"이를 어쩌지! 도둑맞았어요! 어제 저녁 그 사내가 훔쳐 갔나 봐요!"

마글루아르 부인은 급히 기도실로 달려갔다가 곧 되돌아왔다.

"주교님, 그 사내는 달아나 버렸어요! 은그릇을 훔쳐 가 버렸어요!"

주교는 잠자코 허리를 구부리고 앉아, 바구니가 화단에 떨어질 때 줄기가 부러진 화초를 들여다보고 있었다.

담장을 살펴보던 마글루아르 부인이 약간 허물어진 곳을 발견했다. 담장을 타고 넘어간 흔적이었다.

"주교님, 저것 보세요! 저리로 넘어갔어요! 세상에, 이런 일이! 그놈이 우리 은그릇을 훔쳐 갔어요!"

"그 은그릇이 우리 것이었나?"

주교는 한동안 말없이 있다가 나무라듯 되물었다.

마글루아르 부인은 어처구니가 없어서 멍하니 서 있었다.

주교가 다시 말했다.

"마글루아르 부인, 그 은그릇을 내가 오래 갖고 있었던 것이 잘못이오. 그것은 가난한 사람이 가져야 할 물건이오."

"그렇지만 앞으로 주교님은 어떻게 식사를 하실 작정이세요?"

"그게 걱정이오? 놋그릇도 있지 않소?"

"놋쇠는 냄새가 나잖아요."

"그럼 쇠그릇을 쓰지."

마글루아르 부인은 어이없다는 듯 눈살을 찌푸렸다.

"쇠그릇도 이상한 냄새가 나요."

"그럼 나무그릇에 먹으면 되겠군."

그날 아침, 미리엘 주교는 장발장이 앉아 있던 바로 그 식탁에서 식사를 했다.

그는 빵을 우유에 찍어 먹는 데는 스푼도 포크도 필요없다고 쾌활한 어조로 말했다.

"아니, 어쩌자고 글쎄! 그런 사내를 집 안에 들여놓다니! 게다가 바로 당신 곁에 재우다니! 도둑만 맞았기에 망정이지, 아이고, 생각만 해도 끔찍하다니까!"

마글루아르 부인은 왔다갔다하면서 혼잣말로 중얼거렸다.

두 남매가 막 식탁에서 일어나려고 하는데, 문 두드리는 소리가 났다.

"들어오시오."

주교가 말했다.

문이 열렸다. 문 밖에는 헌병들이 서 있었다. 그 중 세 명이 한 사나이의 멱살을 잡고 안으로 들어왔다. 헌병에게 잡혀 온 사나이는 장발장이었다.

그 중 가장 상급자가 주교 앞으로 다가와 경례를 했다.

"주교님!"

그가 용건을 말하기 전에 주교는 얼른 장발장에게 알은체를 했다.

"아, 내가 은그릇과 함께 준 은촛대를 가지러 오셨구려. 그러잖아도 왜 은그릇만 가져갔을까 이상하게 생각하고 있던 참이오."

장발장은 멍하니 주교의 얼굴만 바라보았고, 헌병들은 약간 맥풀린 표정이 되었다.

"주교님, 그럼 이자가 한 말이 거짓말이 아니었습니까? 아무래도 거동이 수상한 것 같아 불러서 조사했더니, 배낭에서 은그릇이 나왔습니다."

주교는 더 듣지 않아도 다 안다는 듯 손을 내저었다.

"이렇게 말했겠지요. 하룻밤 재워 준 늙은 사제가 주었다고 말이오. 당신들은 오해를 한 것입니다. 하지만 이 사람을 데려오길 잘했소. 은촛대를 마저 주어 보내야 하니까."

"그렇다면 이자를 그냥 보내도 되겠습니까?"

"물론이오."

그렇게 해서 장발장은 헌병에게서 놓여났다.

주교는 벽난로 위에 놓여 있던 두 개의 은촛대를 가져다가 장발장의 손에 쥐어 주었다. 그것을 보고 두 노부인은 그만 할 말을 잃었다. 그러나 그녀들은 주교의 뜻에 거슬리는 표정을 짓지 않으려고 조심하고 있었다.

장발장은 온몸을 와들와들 떨고 있었다.

"다음에 우리 집에 올 때는 뜰로 돌아 들어올 필요가 없습니다. 언제든 한길 쪽 정문으로 들어오도록 해요. 문은 낮이나 밤이나 손잡이만 돌리면 열리니까."

주교가 미소 띤 얼굴로 장발장에게 말했다. 그리고 헌병들 쪽을 보며 말을 이었다.

"수고하셨습니다. 어서들 가 보시지요."

헌병들은 곧 물러갔다.

장발장은 금방이라도 쓰러질 것 같았다. 주교는 장발장에게 다가가 낮은 목소리로 말했다.

"잊지 마시오. 이걸 팔아서 정직한 사람이 되기 위한 일에 쓰겠다고 약속했던 것을."

주교는 약속이라는 말에 힘을 주었다. 그런 약속을 한 적이 없는 장발장은 어리둥절할 따름이었다.

주교가 엄숙한 어조로 말을 이었다.

"형제여, 당신은 이제 악에 사는 것이 아니라 선에 사는 것이오. 나는 당신의 영혼을 샀소. 이제 당신을 파멸의 세계에서 끌어 내어 하느님께 바칠 것이오."

장발장은 도망치듯 거리에서 빠져 나왔다. 들판을 가로질러 앞에 나타나는 크고 작은 길을 더듬어 끊임없이 나아갔다. 그렇게 그는 아침부터 저녁까지 아무것도 먹지 않은 채 돌아다녔으나 배가 고프질 않았다. 그는 분노를 느꼈다. 그러나 그것이 누구를 향한 것인지는 뚜렷하지 않았다. 그러면서도 한편으로는 불안했다.

때로는 차라리 헌병들에게 붙잡혀 유치장에 들어갔던 편이 나았으리라는 마음도 들었다. 그랬더라면 이렇게 마음이 흔들리지는 않았으리라. 이미 철은 지났으나, 여기저기 울타리에 늦게 핀 꽃들이 남아 있었다. 그 향기가 어린 시절의 추억을 불러일으켰다. 그것 또한 그를 견딜 수 없게 만들었다.

이윽고 해가 저물어 가고 있었다. 장발장은 디뉴에서 12킬로미터쯤 떨어진 을씨년스러운 벌판의 나지막한 덤불 밑에 주저앉아 있었다. 지평선에는 알프스의 산줄기만 잇달아 솟아 있을 뿐 멀리 보이는 마을에는 종루조차 없었다.

장발장은 한참 동안 생각에 잠겨 있었다.

그 때 문득 흥겨운 노랫소리가 들려왔다. 고개를 들어 보니, 열 살 가량 된 소년이 콧노래를 흥얼거리면서 오솔길로 오고 있는 것이 보였다. 소년은 뷔엘(만돌린 비슷하게 생긴 악기)을 허리에 차고 등에는 알프스 토끼를 넣은 상자를 짊어지고 있었다. 바지의 해진 구멍으로 무릎이 보였으나, 귀엽고 쾌활한 소년이었다.

소년은 노래를 부르면서 가끔 발걸음을 멈추고, 한쪽 손에 들고 있는 몇 닢의 동전으로 오슬레 놀이(공깃돌 놀이, 원래는 양의 다리뼈로 만든 것으로 함.)를 하고 있었다. 그것은 아마도 소년의 전재산이었으리라. 그 동전에 40수짜리 은화가 하나 섞여 있었다.

소년은 장발장을 보지 못하고 덤불 옆에 멈춰 서서 돈을 전부 휙 던져올렸다. 그 때까지 그는 아주 솜씨 좋게 한쪽 손등으로 받아 냈던 것이다.

그런데 이번에는 40수짜리 은화가 미끄러져 떨어져 가시덤불 쪽 장발장이 앉아 있는 데까지 굴러왔다.

장발장은 얼른 그 돈을 발로 밟았다. 소년은 돈이 굴러가는 것을 눈으로 쫓다가 사람이 있는 것을 알아차렸다. 소년은 조금도 놀라지 않고 장발장 쪽으로 똑바로 걸어왔다.

그야말로 호젓한 곳이었다. 멀리 보이는 들판에도 길에도 사람의 그림자 하나 없었다. 높고 넓은 하늘을 날아가는 철새들의 울음소리가 들릴 뿐이었다.

소년은 저녁해를 등지고 있었으므로 머리카락이 금빛으로 물들어 있었고, 장발장의 사나운 얼굴은 햇빛을 받아 피를 끼얹은 듯 붉었다.

"아저씨, 내 돈 주세요."

소년은 줄 것을 믿어 의심치 않는다는 투로 말했다.

"이름이 뭐냐?"

장발장이 물었다.

"프티 제르베예요."

"꺼져!"

장발장이 소리쳤다.

"내 돈 돌려주세요."

소년이 다시 말했다.

그러나 장발장은 고개를 숙인 채 대꾸하지 않았다.

소년은 또다시 말했다.

"내 돈 주세요, 아저씨!"

장발장의 눈은 땅바닥만 응시하고 있었다.

"내 돈 줘요! 내 돈 말이에요! 내 은화요!"

소년이 계속 소리쳤지만, 장발장은 들은 척도 하지 않았다.

소년은 그의 작업복 윗도리를 잡고 마구 흔들었다. 그리고 은화를 밟고 있는 커다란 구두를 밀쳐 내려고 애썼다.

"내 돈 주세요! 40수짜리 내 돈 말이에요!"

소년은 울고 있었다.

장발장은 지팡이로 손을 뻗으면서 소리를 질렀다.

"꺼지라니까!"

"내 40수짜리 돈을 돌려줘요! 제발 그 발 좀 치워 주세요, 아저씨!"

장발장은 발로 여전히 돈을 밟은 채 갑자기 벌떡 일어섰다.

"꺼져 버렷!"

소년은 깜짝 놀라 장발장을 바라보더니, 온몸을 와들와들 떨기 시작했다. 그리고 한참 동안 얼이 빠진 듯 서 있다가 죽을 힘을 다해 달아나기 시작했는데, 감히 뒤를 돌아보거나 소리를 지르지도 못했다.

어느 정도 달려가더니, 소년은 숨이 찬 듯 멈추어 섰다. 장발장은 소년이 흐느껴 우는 소리를 꿈 속에서처럼 어렴풋이 들었다.

이윽고 소년은 보이지 않았다. 해는 이미 져 있었다. 어둠이 장발장의 주위로 몰려들었다. 그는 하루 종일 아무것도 먹지 못하고 있었다. 어쩐지 열도 있는 듯했다.

그는 여전히 서 있었다. 소년이 달아났을 때 그대로의 자세였다. 갑자

기 그는 몸을 떨었다. 저녁 나절의 냉기가 느껴졌던 것이다.

그는 모자를 깊숙이 눌러 쓰고, 기계적으로 손으로 더듬어 작업복 윗도리를 여며 단추를 채웠다. 그리고 한 걸음 내디뎌 지팡이를 집어올리려고 허리를 구부렸다.

그 때 40수짜리 은화가 눈에 들어왔다. 발에 밟혀 반쯤 흙에 묻힌 채 조약돌 틈에서 반짝이고 있었다.

장발장은 마치 감전이라도 된 것 같은 충격을 받았다.

"이게 뭐야!"

그는 서너 발짝 뒷걸음질치다가 흠칫 멈추어 섰다. 그리고 조금 전까지 발로 밟고 서 있던 그 지점을 바라보았다. 은화는 마치 그를 쏘아보듯 어둠 속에서 빛나고 있었다.

잠시 후, 그는 발작적으로 달려들어 은화를 집어들었다. 그리고 마치 겁에 질린 들짐승이 숨을 곳을 찾고 있는 것처럼 몸을 떨면서 사방을 둘러보았다. 아무것도 보이지 않았다.

어둠이 차차 짙어져 들판은 춥고 황량했다. 황혼의 어스름 속에 보랏빛 안개가 뭉게뭉게 피어오르고 있었다.

"아아!"

그는 내뱉듯이 한숨을 쉬고, 소년이 갔다고 생각되는 방향으로 걸음을 옮겼다.

한 백 보쯤 걸은 뒤에 걸음을 멈추고 둘러보았으나, 여전히 아무것도 보이지 않았다. 그러자 그는 힘껏 소리쳤다.

"프티 제르베! 프티 제르베!"

입을 다물고 잠시 가만히 기다려 보았다. 아무 대답도 없었다. 살을 에는 듯한 바람이 불어왔다.

그는 다시 걷다가 달리기 시작했다. 그리고 때때로 우뚝 멈추어 서서는 사람이 낼 수 있는 가장 처참하고 구슬픈 목소리로 적막 속에서 외치곤 했다.

"프티 제르베! 프티 제르베!"

만약 소년이 그 소리를 들었다 할지라도 무서워서 나오지 못했을 것이다. 하지만 소년은 이미 멀리 가 버렸으리라.

마침 한 사제가 말을 타고 다가왔다.

"사제님, 혹시 어린아이가 지나가는 것을 못 보셨습니까?"

장발장이 사제에게 물었다.

"아니, 아무도 보지 못했소."

사제는 말했다.

"프티 제르베라는 소년인데요."

"아무도 보지 못했소."

장발장은 지갑에서 5프랑짜리 화폐를 두 장 꺼내 사제에게 주었다.

"사제님, 이것을 가난한 사람들에게 주십시오. 그 아이는 열 살 가량 된 소년으로, 알프스 토끼와 뷔엘을 가지고 있습니다. 아까 이리로 갔습니다."

"당신 말대로라면, 아마 다른 지방 아이일 거요. 그런 아이들이 가끔 지나간답니다."

장발장은 화난 듯이 다시 거칠게 5프랑짜리 화폐 두 장을 더 꺼내 사제에게 내밀었다.

"이걸 가난한 사람들에게 주십시오. 그리고 나를 체포해 주십시오. 나는 도둑놈입니다."

사제는 장발장의 태도에 몹시 놀라 달아나 버렸다.

장발장은 먼저 왔던 방향으로 다시 달리기 시작했다. 그렇게 그는 두리번거리며 부르고 외치면서 꽤 먼 길을 달려갔으나 아무도 만나지 못했다.

어느 사이엔가 달이 떠 있었다. 그는 멀리 바라보며 마지막으로 다시 한 번 소리쳤다.

"프티 제르베! 프티 제르베!"

장발장의 부르짖음은 안개 속으로 사라져 메아리도 돌아오지 않았다.

장발장은 기진맥진하여 그 자리에 털썩 주저앉았다. 그리고 두 손으로 머리카락을 움켜잡고 얼굴을 무릎 사이에 틀어박으며 울부짖었다.

"아아, 나는 불쌍한 인간이다!"

그는 가슴이 찢어지는 듯 아픔을 느끼며 울기 시작했다. 19년 만에 처음으로 흘리는 눈물이었다.

장발장은 오랫동안 울었다. 뜨거운 눈물을 흘리며 울고, 흐느끼며 울었다.

울고 있는 동안 차차 머릿속이 맑아졌다. 그토록 많은 복수를 계획하며 기다린 석방, 주교의 집에서 일어난 일, 마지막으로 소년에게서 40수를 빼앗은 일……. 그와 같은 모든 것이 머릿속에 뚜렷이 되살아났다.

몇 시간이나 그렇게 울었을까? 울고 나서 장발장은 어떻게 했을까? 그는 어디로 갔을까? 아무도 몰랐다. 다만 한 가지 확실한 것은, 바로 그날 밤, 그르노블을 왕래하던 마부가 새벽 3시쯤 디뉴에 도착하여 주교관 앞을 지날 때 그 앞 어둠 속에서 기도를 드리듯 돌바닥에 꿇어앉아 있는 한 사나이를 보았다는 것뿐이다.

네 젊은이와 네 아가씨

파리에 톨로미에스, 파뫼유, 리스톨리에, 블라슈벨이라는 네 젊은이가 있었다.

그들은 모두 학생이었는데, 각기 사랑하는 여자들이 있었다. 즉, 블라슈벨은 페이버리트, 리스톨리에는 다리아, 파뫼유는 조세핀, 그리고 톨로미에스는 팡틴이라는 여자를 사랑했다.

페이버리트, 다리아, 조세핀, 팡틴은 재봉 일을 했는데, 어딘지 여공의 분위기를 풍기면서도 하나같이 젊음의 향기로 사람들의 눈길을 끄는 아름다운 아가씨들이었다.

네 사람 중 팡틴은 세상 물정 모르는 순진한 아가씨로, 고향은 몽트뢰유 쉬르 메르였다. 하층민 출신으로 부모가 누군지도 모르는 팡틴은 열 살 때 돈을 벌러 파리로 왔다. 반짝이는 금발에 가지런한 이가 아름다운 그녀는 살기 위해 일했다. 그리고 살기 위해 사랑을 했다.

팡틴의 상대인 톨로미에스는 나이도 가장 많았고, 또 부자였다. 그러나 그는 소문난 바람둥이였다.

여름 방학이 시작될 무렵의 어느 일요일, 톨로미에스를 비롯한 네 남자는 아침 5시에 일어나 마차를 타고 생클루로 갔다. 아가씨들에게 깜짝 놀랄 만한 일을 해 보이기로 한 약속을 지키기 위해서였다.

아가씨들은 새장에서 빠져 나온 꾀꼬리처럼 재잘거리며 수선을 피웠다. 남자들은 가볍게 손뼉을 치며 인생의 아름다움에 취해 있었다.

그 날은 매우 화창했다. 자연도 휴일을 맞아 웃고 즐기는 듯했다. 생클루의 꽃밭들은 그윽하게 향내를 풍기고 센의 강바람은 살며시 나뭇잎을 흔들었다.

네 쌍의 남녀는 배를 타고 센 강을 건너 파시로 갔다. 거기서부터 걸어서 에투알 시의 관문까지 이르렀다.

"이렇게 걸어도 일요일엔 피곤하지 않아. 일요일엔 피곤도 쉬거든."

페이버리트가 말했다.

오후 3시쯤, 그들은 오락전차를 타고 행복에 들떠 가파른 고갯길을 내리달렸다.

이따금 페이버리트가 소리쳤다.

"그런데 깜짝 놀랄 일이 뭐죠? 어서 가르쳐 줘요."

"좀 기다려!"

톨로미에스가 대답하곤 했다.

오락전차 타기에도 싫증이 난 그들은 카바레 봉바르다로 몰려들어갔다. 창 밖으로 느릅나무 가로수가 보이고 그 사이로 강과 둑이 내다보였다. 8월의 눈부신 햇살이 창가에 어른거리고 있었다.

그들은 모자를 벗고 식탁에 앉아, 사랑을 속삭이거나 잡담을 했다. 파 뫼유와 다리아는 노래를 흥얼거리고, 톨로미에스는 술을 마시고, 조세핀은 깔깔 웃고, 팡틴은 미소를 지었다. 리스톨리에는 생클루에서 산 나무 나팔을 불고 있었다.

그렇게 얼마쯤 시간이 지났을 때, 페이버리트가 팔짱을 끼고 톨로미에스를 쏘아보았다.

"대체 깜짝 놀랄 일이란 뭐죠?"

"그렇지, 마침내 때가 왔어."

톨로미에스가 손을 털며 일어섰다.

"여성 여러분, 그럼 잠시만 기다려 줘요."

"먼저 키스부터 할까?"

"좋지, 이마에 말이야."

블라슈벨의 말에 톨로미에스가 맞장구를 쳤다.

남자들은 각기 상대 여자에게 키스를 했다. 그런 다음, 손가락을 입에 대고 한 줄로 늘어서서 문 쪽으로 걸어갔다.

페이버리트는 그들을 향해 박수를 보냈다.

"이제 재미있는 일이 벌어질 모양이군."

"너무 오래 마음을 졸이게 하진 말아요. 기다리고 있을게요."

팡틴이 말했다.

뒤에 남겨진 아가씨들은 두 사람씩 창가에 기대어 고개를 갸웃거리며 연방 재잘거리고 있었다. 그녀들은 네 남자가 서로 팔짱을 끼고 봉바르다에서 나가는 것을 보았다.

그들은 뒤를 돌아보고 웃으며 그녀들에게 손을 흔들었다. 그리고 주일마다 샹젤리제를 가득 메우는 먼지투성이 군중 속으로 사라져 갔다.

"오래 기다리게 하지 마세요!"

팡틴이 다시 외쳤다.

"뭘 갖다 주려나?"

조세핀이 중얼거렸다.

"아마도 아름다운 것이겠지."

다리아가 말했다.

"난 금으로 만든 것이면 좋겠어."

페이버리트가 기대에 찬 얼굴로 말했다.

한참 만에 페이버리트가 갑자기 잠에서 깨어난 사람 같은 몸짓을 했다.

"아니, 그런데 깜짝 놀랄 일은?"

"그러게 말야. 대체 어찌 된 일이지?"

"그 사람들, 너무 오래 기다리게 하는데."

다른 아가씨들도 한 마디씩 했다.

한참이 지나서야 아까 시중을 들던 종업원이 들어왔다. 그는 손에 무슨 쪽지 같은 것을 들고 있었다.

"그게 뭐지?"

페이버리트가 물었다.

"먼저 나가신 남자 손님들께서 드리라고 놓고 가신 편지입니다."
종업원이 대답했다.
"왜 금방 가져오지 않았죠?"
"그 손님들께서 한 시간이 지난 뒤에 드리라고 하셨거든요."
페이버리트는 종업원의 손에서 쪽지를 낚아챘다. 과연 그것은 남자들
이 써 놓고 간 편지였다.
"어머! 누구에게 보내는지 이름도 안 적혀 있고, 그냥 위에 '이것이
깜짝 놀랄 일임.'이라고 씌어 있어."
페이버리트가 소리쳤다.
그녀는 급히 쪽지를 펼쳐 소리내어 읽었다.

　　오오, 우리의 연인들이여! 우리에게는 부모님이 계십니다. 부모라
는 사람들은 항상 자식들을 몰아세우고, 불평만 늘어놓는 존재라
오. 우리 부모님들도 선량한 우리를 방탕아라 일컬으며 고향으로
돌아오기를 요구하고 계신다오. 우리가 돌아가면 송아지라도 잡아
주겠다고 하시면서……. 우리는 도덕을 숭상하는 사람들이므로, 부
모님의 분부를 따르려고 합니다.
　　그대들이 이 편지를 읽을 무렵, 우리는 다섯 마리의 말이 끄는 마
차를 타고 부모님 곁으로 가고 있을 것이오.
　　부디 우리를 위해 눈물을 흘리고, 곧 우리를 대신할 다른 남자들
을 찾으시오. 만약 이 편지가 그대들의 마음을 갈가리 찢는다면 그
갚음으로 이 편지를 갈가리 찢어 버리시오.
　　그 동안 우리는 2년 가까이 그대들을 행복하게 해 주었소. 우리
를 원망하진 마시오.
　　　　　　　블라슈벨, 파뫼유, 리스톨리에, 톨로미에스

한 시간 뒤 자기 방으로 돌아왔을 때, 팡틴은 울었다. 톨로미에스는 그녀의 첫사랑이었다. 그리고 이 가엾은 아가씨의 배 안에서는 그의 아기가 자라고 있었다.

그런 일이 있은 지 열 달이 지났을 때, 팡틴은 톨로미에스에게 서너 차례 편지를 보냈다. 그러나 톨로미에스로부터는 아무런 연락이 없었다.

"어리석기는! 누가 저런 애를 자기 자식이라고 하겠어."

어느 날, 팡틴은 여자들이 수군대는 소리를 들었다. 그제야 자신이 파멸했다는 것을 깨달았다.

팡틴은 고향인 몽트뢰유 쉬르 메르로 돌아가기로 했다. 그곳에 가면 일자리를 얻을 수 있을 듯했다. 그러자면 세 살 난 딸 코제트와 헤어지지 않으면 안 되었다. 그녀는 가슴이 미어졌지만, 모질지 않으면 살 길이 없었다.

팡틴은 우선 가진 것을 전부 팔아 200프랑을 만들었다. 그것으로 빚을 갚고 나니 80프랑 정도 남았다.

그것을 가지고 어느 봄날 아침, 코제트를 업고 파리를 떠났다. 그리고 몽페르메유의 블랑제 거리까지 왔다. 그녀의 나이 스물두 살 때인 1818년의 일이었다.

그 거리에는 테나르디에 부부가 운영하는 싸구려 여관이 있었다.

팡틴은 그 여관에 코제트를 맡기기로 했다.

여관 주인 테나르디에는 코제트의 양육비로 한 달에 7프랑을 달라고 했다. 팡틴은 6개월치의 양육비를 그에게 준 다음, 딸과 헤어졌다.

새로운 삶

오랜 옛날부터 몽트뢰유 쉬르 메르에는 영국의 검은 구슬과 독일의 검은 유리 구슬 등의 모조품을 만드는 특수한 공업이 이어져 내려오고 있었다. 그런데 모조 구슬을 만드는 원료가 비싸서 품삯을 제대로 지불할 수 없었기 때문에 발전을 못 하고 있었다.

그런데 팡틴이 몽트뢰유 쉬르 메르로 돌아갔을 무렵, 이 '검은 장신구'를 만드는 데 혁명적인 일이 일어났다.

1815년 12월 어느 날 저녁, 한 사나이가 이 도시에 들어와 살게 되었다. 사나이는 검은 구슬을 만드는 데 수지 대신 흰 고무를 쓰는 방법을 생각해 냈다. 또한 구슬과 구슬을 연결하는 쇠붙이를 일일이 용접하는 대신 구부린 양쪽 끝을 끼우기만 하면 되는 쇠고리를 사용했다.

그런 아주 작은 변화로 원료비를 훨씬 줄일 수 있었다. 그것은 나아가 품삯을 높이는 결과를 낳아 그 지방에 혜택을 주고, 소비자는 싼 값에 물건을 살 수 있었으며, 제조자는 더 많은 수익을 올리게 되었다. 이로써 사나이는 다행스럽게도 3년이 채 되기 전에 큰 부자가 되었고, 그와 함께 주위 사람들도 한결 넉넉해졌다.

사나이가 몽트뢰유 쉬르 메르에 나타나던 날, 마침 시청 건물에 큰 불이 일어났다. 사나이는 불 속으로 뛰어들어 자기 몸을 돌보지 않고 두 아이를 구해 냈는데, 그들은 헌병대장의 아들이었다. 그 덕분에 그에게 통행증의 제시를 요구하는 사람은 아무도 없었다.

그는 마들렌이라는 이름으로 알려졌다. 그의 신분은 전혀 알려지지 않았다. 나이는 쉰 살 가량이고, 늘 생각에 잠겨 있는 듯한 얼굴의 친절한 사람이었다. 그에 관해 말할 수 있는 것은 그 정도였다.

그로 인해 이 공업이 눈부시게 발전하고 몽트뢰유 쉬르 메르라는 작은 도시는 중요한 산업 중심지로 성장하기에 이르렀다. 특히 에스파냐에서 해마다 엄청난 양을 주문해 왔다. 그 거래로만 말한다면, 거의 런던이나 베를린과 맞먹는 수익을 올리고 있었다.

마들렌 씨의 수익은 대단한 것으로, 채 2년이 못 되어 큰 공장을 세울 수 있었다. 그는 거기에 두 개의 넓은 작업장을 만들어, 하나는 남자 직공, 다른 하나는 여자 직공이 쓰게 했다. 직공들의 품행이 문란해지는 것을 막기 위해 작업장을 둘로 나누었던 것이다.

1820년에 마들렌은 자기 이름으로 라피트 은행에 63만 프랑을 예금했다. 그러나 그 전에 이미 1백만 프랑 이상을 가난한 사람들을 위해 썼다.

그는 시의 자선 병원에 침대를 기증했다. 그리고 학교를 두 군데에 세운 다음, 그 교사들의 수당까지 냈다. 또 그는 당시 프랑스에서는 거의 알려지지 않았던 보육원을 세우고, 늙어서 몸이 약해진 노동자들을 위한 구제 기금도 마련했다. 가난한 사람들이 사는 마을에는 무료 약국도 열었다.

이에 대해 사람들은 한몫을 크게 잡으려는 수작이라느니, 음흉한 야심가라느니 입방아들을 찧었다.

어느 날, 시민들 사이에 마들렌이 시장으로 임명될 것이라는 소문이 돌았다.

"그것 보라니까!"

그를 야심가라고 비웃던 사람들이 기세등등하게 외쳤다.

소문은 사실이었다. 며칠 후에 그를 시장으로 임명한다는 기사가 신문에 실렸다. 그러나 다음 날 그는 시장직을 굳이 사양해서 시민들을 놀라게 했다.

같은 해, 마들렌은 그가 고안한 제품을 공업 박람회에 출품했다. 심사

결과에 따라 국왕은 그에게 레지옹 도뇌르 훈장을 수여했다. 사람들은 다시 그가 노린 것은 바로 훈장이라고 떠들어 댔다. 그러나 그는 훈장마저 사양했다.

"한 마디로 사기꾼이지."

이해할 수 없는 그의 행동에 사람들은 또다시 입방아를 찧었다.

그러나 대부분의 시민들은 그가 시장이 되기를 원했다. 그 동안 그가 그 고장에 끼친 공적은 그야말로 눈부셨다.

1820년이 되자, 즉 그가 몽트뢰유 쉬르 메르에 와서 5년째 되는 해, 국왕은 그를 다시 시장으로 임명했다.

그는 다시 사양했으나, 이번에는 시민들이 가만히 있지 않았다. 그 고장의 저명 인사들이 찾아와 간곡히 부탁을 하고, 일반 시민들이 그에게 강력한 요구를 하기에 이르렀다.

어느 날, 한 노파가 그의 집 앞에 와서 성난 목소리로 외쳤다.

"우리는 훌륭한 시장이 필요해요! 그런데 당신은 왜 할 수 있는 일을 피하는 거죠?"

이 강력한 호소는 그가 결심하는 데 결정적인 역할을 했다. 그는 마침내 결심을 하고 몽트뢰유 쉬르 메르의 시장으로 취임했다.

시장이 된 뒤에도 마들렌은 처음 몽트뢰유 쉬르 메르에 왔을 때와 변함이 없었다. 잿빛 머리에 진지한 눈동자, 생각에 잠긴 듯한 표정은 여전했으며, 항상 낡은 옷에 낡은 신발을 신고 있었다.

생활 또한 달라진 것이 없었다. 그는 항상 혼자 식사를 했고, 책을 즐겨 읽었다. 그러면서 시장의 일을 성실하게 해 나갔다. 가난한 사람을 도울 때는 언제나 자신의 이름을 숨겼다.

1821년 초, 미리엘 주교의 죽음이 신문에 보도되었다. 여든두 살의 나이로 성자처럼 운명했다고 했다.

그 기사를 읽은 마들렌은 그 이튿날부터 검은 옷을 입고 모자에 검은 천을 두른 차림으로 지냈다.

한 노부인이 호기심을 참지 못하고 마들렌에게 물었다.

"시장님은 돌아가신 디뉴의 주교님과 친척이신가요?"

"그렇지 않습니다."

"그런데 왜 상복을 입으셨나요?"

"그분을 존경하기 때문입니다. 나는 젊었을 때 그분 댁에서 하인 노릇을 한 적이 있습니다."

마들렌이 대답했다.

세월이 흘러감에 따라 마들렌에 대한 사람들의 반감이 차츰 사라져 갔다. 이제 그는 시민들의 절대적인 존경을 받았다.

그를 존경하는 마음은 마치 전염병과도 같이 그 지방 전체에 퍼졌다. 그런데 오직 한 사람만은 이 존경에 절대로 감염되지 않았다. 그는 마들렌이 어떤 일을 하든 언제나 적의를 품고 바라보았다. 또 어떤 일이 있어도 흔들리지 않고 감정에 휘말리지도 않았다. 다만 강한 본능으로 그를 의심하고 그의 정체를 캐려고 했다.

그는 몽트뢰유 쉬르 메르의 경찰서에서 근무하는 자베르 경위였다.

마들렌이 사람들에게 에워싸여 거리를 걸을 때, 그는 잿빛 프록코트에 긴 지팡이를 들고 갑자기 몸을 휙 돌려 쏘아보았다. 그리고 마들렌이 사라져 보이지 않을 때까지 눈길을 떼지 않았다.

'틀림없이 어디선가 본 적이 있어. 내 눈은 못 속이지.'

자베르는 냉정한 사나이였다. 법률을 엄중히 지키고 상관의 명령에는 절대적으로 복종하되, 인정에 얽매이거나 남을 돕거나 용서할 줄을 모르는 성격이었다. 그는 충실하고 엄격한 경찰관이었다.

그는 마들렌을 처음 보았을 때 범죄자로 직감했을 만큼 날카로운 눈을 지니고 있었다. 그의 눈초리는 어둡고, 두 눈 사이에는 주름이 잡혀 있어 무서운 느낌을 주었다. 그의 좁은 이마는 눈썹 위까지 덮은 머리카락에 가려 보이지도 않았으며, 짙은 구레나룻은 큰 턱을 덮고 꽉 다문 입언저리로 해서 두 뺨으로 기어오르는 형상이었다.

그런 자베르가 끊임없이 마들렌을 지켜보고 있었다. 마침내 마들렌도 그의 존재를 알아차리게 되었다. 그러나 그는 다른 사람들에게 하는 것과 똑같이 자베르를 허물없이 대했다.

어느 날 아침, 마들렌은 포장되지 않은 좁은 길을 산책하고 있었다. 그런데 사람들이 떠드는 소리가 들려와서 쫓아가 보니, 짐마차의 말이 쓰러지고 그 밑에 포슐르방 영감이 깔려 있었다.

포슐르방 영감은 아직도 더러 남아 있던 마들렌의 몇 명 안 되는 적들 중의 하나였다.

마들렌이 처음 몽트뢰유 쉬르 메르에 왔을 때 그는 장사를 하고 있었다. 그러나 그는 한때 공증인까지 할 정도로 시골 사람치고는 학식깨나 있는 사람이었다. 포슐르방은 한낱 노동자에 불과했던 마들렌이 점점 부유해지고, 더구나 시장까지 되자 질투심을 누를 수가 없었다. 그래서 마들렌이 하는 일마다 훼방을 놓으려고 별의별 짓을 다했다. 그러다가 그는 파산하고 말았는데, 이미 늙은데다 가정도 자식도 없는 그에게 남은 것이라곤 짐수레와 말밖에 없었으므로, 마침내 살기 위해 마차꾼이 되었던 것이다.

말은 뒷다리의 윗부분을 다쳐 일어나지 못하고, 노인은 바퀴와 바퀴 사이에 끼여 신음하고 있었다. 짐마차의 엄청난 무게가 가슴을 짓누르고 있었던 것이다.

마침 그 자리에 있던 자베르는 기중기를 가지러 사람을 보내 놓고 있었다.

"사람 살려!"

포슐르방 영감이 소리쳤다.

마들렌은 사람들을 헤치고 가까이 다가갔다.

"기중기가 없습니까?"

"방금 가지러 갔습니다."

한 농부가 대답했다.

"시간이 얼마나 걸릴까요?"

"가장 가까운 곳으로 갔지만, 아무래도 15분은 걸릴 것입니다."

"15분이나!"

마들렌이 신음하듯 중얼거렸다.

전날 비가 왔으므로 땅이 질퍽거렸다. 마차는 포슐르방 영감을 짓누른 채 점점 진구렁 속으로 빠져 들어갔다. 그냥 두었다가는 5분도 못가서 갈비뼈가 부러질 참이었다.

"15분이나 기다릴 순 없소."

마들렌이 둘러서 있는 농부들에게 말했다.

"그래도 기다릴 수밖에요!"

"누가 마차를 등으로 밀어올려야 해요. 그렇게 해 볼 사람은 없습니까? 금화로 5루이(20프랑) 내겠소."

마들렌이 사람들을 둘러보며 말했다.

그러나 아무도 나서는 사람이 없었다.

"10루이!"

그 자리에 있던 사람들은 모두 눈을 내리깔았다. 그 중 한 사람이 중얼거렸다.

"여간 힘이 세지 않고서야! 잘못하다간 자기마저 깔려 죽을걸."

"20루이!"

여전히 모두들 잠자코 있었다.

"문제는 힘이지. 그렇게 등으로 수레를 밀어올리려면 여간 힘센 사나이가 아니면 안 돼."

그렇게 말한 사람은 자베르였다.

그러고 나서 자베르는 마들렌을 매섭게 쏘아보며 말을 이었다.

"마들렌 씨, 난 그런 힘을 가진 남자를 꼭 한 사람 알고 있습니다. 그는 죄수였습니다. 툴롱 형무소에 있었지요."

자베르의 말에 마들렌은 얼굴이 창백해지며 몸을 부르르 떨었다.

그러는 동안에도 짐마차는 점점 더 깊이 빠져들고 있었다.

"아, 숨을 쉴 수가 없어! 살려 줘!"

포슐르방 영감은 고통에 찬 소리로 외쳤다.

"20루이를 받고 노인을 구할 사람이 아무도 없단 말이오?"

마들렌이 주위를 둘러보았다.

"기중기 대신이 될 만한 남자는 그 죄수밖에 없다고 생각합니다."

자베르가 여전히 마들렌을 쏘아보며 말했다.

"아아, 나 죽네!"

노인이 다시 소리쳤다.

순간, 마들렌은 자베르를 바라보며 비장한 미소를 지었다. 그러더니 갑자기 무릎을 꿇고 사람들이 놀랄 겨를도 없이 마차 밑으로 들어갔다.

사람들은 숨을 죽이고 그를 지켜보았다.

그는 거의 엎어지다시피 한 자세에서 두 팔과 두 무릎에 힘을 주어 등으로 마차를 들어올리려 했다. 그러나 마차는 꼼짝도 하지 않았다.

"마들렌 씨, 어서 나오세요!"

사람들이 소리쳤다.

포슐르방 영감도 말했다.

"나는 어차피 죽을 몸이니 내버려 두고 당신 목숨이나 보존하시오."

그러나 마들렌은 아무 말이 없었다. 마차는 점점 깊이 빠져 들어가 이제 마들렌마저 빠져 나올 수 없게 되었다.

바로 그 때, 마차가 갑자기 움직이기 시작했다.

"어서 도와 줘요!"

마들렌이 외치자, 여러 사람이 동시에 와 달려들었다. 마차는 곧 번쩍 들어올려지고 포슐르방 영감은 구출되었다.

마들렌은 일어났다. 온몸에서는 땀이 줄줄 흐르고, 얼굴은 창백하고, 옷은 찢어진 채 흙탕물로 범벅이 되어 있었다. 모두들 감격해서 눈물을 흘렸다.

포슐르방 영감은 마들렌의 무릎에 입을 갖다 댔다.

"하느님, 하느님!"

마들렌의 표정에는 행복과 고통이 동시에 나타났다. 그런 표정으로 그는 자베르를 바라보았다.

마차에서 떨어졌을 때, 포슐르방 영감은 그 무릎 관절이 빠져 버렸다.

마들렌은 포슐르방 영감을 공장 진료소로 옮겨 치료해 주고, 파리의 어느 수녀원에 보내 정원지기로 일하게 해 주었다.

그 뒤 얼마 안 되어 마들렌은 시장으로 임명된 것이다. 그렇게 되자 자베르는 가능한 한 그를 피하려 했다. 그러나 직무상 어쩔 수 없이 만날 때는 지극히 공손한 자세를 취했다.

어머니와 딸

그 무렵 몽트뢰유 쉬르 메르에 온 팡틴은, 다행히도 마들렌의 구슬 공장에 쉽게 취직이 되었다.

팡틴은 자기 힘으로 살아갈 수 있다는 사실이 매우 기뻤다. 앞으로 코제트와 살아갈 일을 생각하면 저절로 웃음이 나왔다. 그녀는 작은 방을 빌리고, 외상으로 가구도 들여놓았다. 그러나 아무에게도 딸에 대해서는 말하지 않았다.

처음에 팡틴은 테나르디에 부부에게 꼬박꼬박 돈을 보냈다. 하지만 그녀는 글을 쓸 줄 몰랐기 때문에 대서소에 가서 편지를 써야 했다. 그것을 본 공장의 여자들은 수상하다면서 수군거리기 시작했다.

마침내 어느 수다스러운 여자가 팡틴에게 숨겨 둔 딸이 있고, 그 딸을 테나르디에 부부가 키우고 있다는 사실을 알아 내고 이 사람 저 사람에게 소문을 퍼뜨렸다.

팡틴이 공장에서 일한 지 일 년이 지난 어느 날, 작업장의 여감독이 팡틴에게 50프랑을 주며 더 이상 공장에 나오지 말라고 했다. 그것은 테나르디에 부부가 양육비를 6프랑에서 12프랑으로 올리고, 다시 15프랑으로 올린 후였다.

팡틴은 갑자기 땅바닥에 던져진 느낌이었다. 그러나 그녀는 그 곳을 떠날 수가 없었다. 방세와 가구 외상값이 남아 있었다. 50프랑으로는 어림도 없었다. 여감독에게 애원해 보았으나, 당장 나가라는 호통을 들었을 뿐이었다.

공장을 나온 팡틴은 하녀로 일하려고 이 집 저 집을 기웃거렸으나 일자리가 없었다.

그러다가 팡틴은 부대 근처에서 군인들의 내의 꿰매는 일을 했다. 그것으로 하루에 12수씩 벌었다. 그러나 테나르디에 부부에게 10수씩 보내고 나면 끼니를 잇기도 어려웠다. 테나르디에 부부가 양육비를 제대로 받지 못한 것은 그 무렵이었다.

벌이는 적은데다 빚은 계속 늘었다. 특히 테나르디에 부부의 성화는 그녀를 절망하게 했다. 그들은 양육비 외에도 코제트가 병이 났다든가, 겨울옷이 필요하다든가 하며 끊임없이 돈을 보내라고 했다.

마침내 팡틴은 머리카락을 잘라 팔고, 아름다운 앞니도 두 개나 뽑아 팔았다.

그런데도 테나르디에 부부는 다시 편지를 보냈다. 밀린 양육비 100프랑을 보내지 않으면 코제트를 거리로 내쫓아 죽게 만들겠다는 것이었다. 그래서 팡틴은 거리로 나섰다. 그녀에게는 더 이상 팔 것이 없었으므로, 결국 창녀가 되었다.

마들렌이 시장이 된 지 3년째 되는 해의 어느 겨울날이었다.

그는 길거리에서 자베르가 한 여인을 붙잡아 가는 것을 보았다. 그 여인은 바로 팡틴이었다. 술 취한 남자에게 모욕을 당하고 저항하다가 잡혀 가는 것이었다.

마들렌은 그들의 뒤를 따라 경찰서까지 들어갔다.

경찰서 안으로 들어가자, 팡틴은 한쪽 구석에 겁먹은 개처럼 웅크리고 앉아 있었다.

자베르는 잔뜩 상을 찡그린 채 부하들에게 지시했다.

"이 계집을 당장 집어넣어. 6개월 징역이야."

자베르의 말을 듣고 팡틴은 벌떡 일어났다.

"감옥에서 여섯 달이나 있으라고요? 그 동안 우리 딸 코제트는 어떡하라고요! 나는 우리 딸을 돌봐 주는 사람에게 100프랑의 빚을 지고 있어요. 자베르 경위님, 제발 저를 용서해 주세요."

팡틴은 무릎을 꿇고 울면서 사정했다.

"죄를 짓고 용서해 달라고?"

"나는 잘못이 없어요. 그 사람이 나를 이빨 빠진 고양이라고 조롱했어요. 그리고 차가운 눈을 뭉쳐 내 옷 속에다 집어 넣었어요. 그런 모욕을 당하고 참을 사람이 어디 있겠어요? 자베르 경위님, 제가 돈을 갚지 못하면 코제트는 그 집에서 쫓겨날 거예요. 그 어린 것이 어떻게 혼자 살아가겠어요? 제발 살려 주세요."

자베르는 등을 돌렸다. 그의 부하들이 달려들어 팡틴을 잡아끌었다.

그 때 마들렌이 앞으로 나섰다.

"아니, 시장님께서 웬일이십니까?"

자베르가 무뚝뚝하게 인사를 했다.

시장이라는 말을 듣는 순간, 팡틴의 눈에서 불꽃이 튀는 것 같았다.

"오, 네가 바로 시장이라는 작자로구나!"

팡틴은 미처 말릴 사이도 없이 앞으로 튀어나가 마들렌의 얼굴에 침을 탁 뱉었다.

마들렌은 얼굴의 침을 닦고 말했다.

"자베르 경위, 이 여자를 석방하시오."

그 소리에 자베르는 물론 경찰서에 있던 모든 사람들이 놀랐다.

"석방하라니, 그게 무슨 말씀입니까? 이 여자는 선량한 한 시민을 모욕했습니다."

"자베르 경위, 나는 당신이 이 여자를 끌어올 때 광장을 지나고 있었소. 사람들이 웅성거리고 있기에 어떻게 된 일인지 물어 보았소. 잘못은 술 취한 그 남자에게 있소."

"이 못된 여자는 지금 이 자리에서도 시장님을 모욕했습니다. 그건 법에 대한 모욕입니다."

"물론 이 여자가 나를 모욕해야 할 까닭은 없는 것이지만……."

마들렌의 말이 미처 끝나기 전에 팡틴이 발끈해서 대들었다.

"이 악질! 아무 잘못도 없는 나를 쫓아 내고도 그런 소리를 해? 작업장의 더러운 년들이 지껄이는 소리만 듣고 나를 해고했잖아! 딸의 양육비를 대느라고 금니까지 팔아치웠지만, 일자리를 못 구한데다 병까지 얻어 이렇게 불행해진 거야. 그런데 이제 와서 나를 구해 주는 체하는 거냐?"

마들렌은 그제야 팡틴이 자기 얼굴에 침을 뱉은 까닭을 알았다.

과연 팡틴은 초췌한 얼굴에 앞니 두 개가 빠져 있었다.

"석방하시오."

마들렌은 자베르에게 조용히 말했다.

"시장님께서 왜 그런 말씀을 하시는지 도무지 모르겠습니다."

"명심하시오. 이 여자를 단 하루도 감금해서는 안 되오."

"저는 직권에 어긋나는 행위를 하는 것이 아닙니다."

"내 말에 복종하시오."

"저는 제 의무에 복종합니다. 제 의무는 이 여자를 6개월 동안 감옥살이시키는 것입니다."

"형사 소송법에 의하면, 이런 사건의 판결자는 시장인 나요. 그런 내가 이 여자의 석방을 명령하는 거요."

마들렌이 엄한 목소리로 말했다.

"그렇지만……."

"경고하겠소!"

그 기세에 눌린 자베르는 마들렌에게 경례를 붙이더니 슬금슬금 물러섰다.

팡틴은 혼란스러웠다. 이제까지 그녀는 마들렌이야말로 자신을 불행하게 만든 사람이라고 생각했다. 그런 그가 자신을 구해 주었다. 그녀는 넋이 나간 듯 한쪽 구석에 고개를 숙인 채 기대어 서 있었다.

팡틴에게 다가간 마들렌은 자베르에게 명령하던 것과는 달리 매우 정중하게 말을 건넸다.

"당신의 불행에 책임을 느낍니다. 당신의 이야기를 자세히 들려주시겠습니까?"

팡틴은 고개를 들지 못한 채 흐느꼈다.

마들렌은 다시 말했다.

"나는 당신이 해고당한 것을 몰랐지만, 어쨌든 우리 공장 종업원이 억울한 일을 당했으니 그것은 내 책임이오. 남에게 빚을 지고 있다고 했지요? 그리고 딸을 남의 집에 맡겨야 했던 처지를 이해합니다. 빚을 갚고, 딸도 데려와야지요. 그렇게 해 주는 것이 나의 도리라고 생각합니다."

코제트와 살게 되다니, 자유롭고 행복하게 살게 되다니, 팡틴은 더 이상 버틸 수가 없었다.

"아아! 아아!"

두어 번 울부짖던 팡틴은 그대로 정신을 잃고 말았다.

그 동안 테나르디에의 여관에 맡겨진 코제트는 여덟 살이 되어 있었다. 팡틴이 그토록 고생하며 돈을 부쳐 주었는데도 코제트는 버려진 아이나 다름없이 자라야 했다.

테나르디에의 아내는 자기 딸들을 사랑하는 만큼 코제트를 미워했다. 코제트는 테나르디에의 집에서 개나 고양이와 같은 취급을 당했지만, 테나르디에의 아내는 그렇게 생각하지 않았다. 그녀는 마치 코제트가 자기 딸들의 것을 빼앗고 있다고 생각했다. 자기 딸들이 몽땅 마셔야 할 공기를 함께 마시고, 딸들이 차지해야 할 공간을 함께 차지하고 있다고 생각했다.

그 여자는 다른 여자들과 마찬가지로 아이들에게 사랑과 욕지거리를 반복했다. 만약 코제트가 없었다면 두 딸은 가끔씩, 아니 종종 매질을 당했을 것이다. 그러나 두 아이는 코제트 덕분에 오직 사랑만을 받았다. 대신 매질은 몽땅 코제트 차지였다.

코제트는 무엇을 하든 무자비한 벌을 받았다. 끊임없이 벌을 받고 욕을 먹고 매를 맞았다. 테나르디에의 아이들 역시 어머니를 보고 배워 심술궂게 대했다. 그런 가운데서도 코제트는 계속 자랐다. 그에 따라 고생도 늘어만 갔다.

코제트는 어머니가 보내 준 옷도 두 아이에게 빼앗기고, 그 아이들의 헌 옷을 입어야 했다. 그리고 언제나 두 아이의 놀림감이 되었으며, 다섯 살 때부터는 주인이 시키는 일을 하지 않으면 안 되었다. 심부름을 하고, 방과 마당을 청소하고, 접시를 닦고, 무거운 짐을 나르기도 했다. 어머니가 돈을 제대로 못 보내게 되면서부터는 구박이 한층 심해졌다.

겨울에 누더기 차림으로 오들오들 떨면서 조그만 손에 커다란 빗자루를 들고 새벽부터 마당을 청소해야만 했다.

3년이 지나자 코제트는 완전히 다른 아이가 되었다. 만약 어머니가 몽페르메유에 왔더라면 알아보지 못했을 것이다. 처음 그 집에 왔을 때의 귀엽고 통통한 모습은 사라지고 말라비틀어진 장작개비처럼 보였던 것이다. 거기에 아이다운 웃음기는 없고 늘 우울한 표정을 짓고 있었다.

"앙큼스러운 것!"

테나르디에 부부는 코제트의 표정을 보고 그렇게 욕하곤 했다.

세상의 고통은 그와 같이 코제트를 추하게 만들었다. 다만 고운 눈매만이 옛 모습 그대로였는데, 크고 아름다운 두 눈에는 항상 눈물이 글썽거렸다.

마을에서는 코제트를 종달새라고 불렀다. 새보다 작은 것이 가장 먼저 일어나 날이 밝기도 전에 길가나 밭에 나가 있었기 때문이다. 그러나 종달새와는 달리 노래를 부르지 않았다.

마들렌은 팡틴의 병세가 좋지 않음을 알고 병원에 입원시켰다. 그리고 몽페르메유의 테나르디에 부부에게 편지를 썼다. 그는 팡틴이 갚아야 할 빚 120프랑보다 훨씬 많은 300프랑을 보내며, 팡틴이 병이 났으니 코제트를 데리고 몽트뢰유 쉬르 메르로 와 달라고 부탁했다.

편지를 받은 테나르디에는 신이 났다. 그는 300프랑으로 만족하지 않고 500프랑짜리 계산서를 꾸며서 부쳤다.

마들렌은 300프랑을 다시 보내며 아이를 데려오라고 재촉했다. 그러자 테나르디에는 콧방귀를 뀌었다.

"흥, 아이를 내놓을 줄 알고! 종달새가 젖소가 된 판국에……."

팡틴의 병세는 좀처럼 좋아지지 않았다.

"저는 죄 많은 여자예요. 하지만 제가 나쁜 짓을 한 것은 다 우리 딸 때문이었어요."

팡틴은 열에 들떠서 말했다.

마들렌은 하루에 두 번 팡틴을 문병했다. 그 때마다 그녀는 물었다.

"시장님, 언제 우리 아이를 만날 수 있을까요?"

"곧 올 테니, 너무 염려 말아요."

"아, 코제트! 우리 코제트!"

팡틴은 창백한 얼굴에 환한 미소를 지으며 눈물을 흘렸다.

담당 의사가 마들렌에게 물었다.

"환자가 아이를 만나고 싶어한다지요?"

"네."

"그럼 어서 만나게 해 주십시오."

"환자의 상태가 그렇게 나쁩니까?"

"가망이 없습니다."

마들렌은 몸을 부르르 떨었다.

병실로 돌아온 그에게 팡틴이 물었다.

"의사가 뭐라고 하던가요?"

"아이를 데려오라고 하더군요. 그러면 병이 나을 거라면서……."

"아, 그 사람은 왜 우리 아이를 붙잡아 두려는 것일까?"

테나르디에는 코제트가 몸이 약해 겨울에 여행을 할 수 없다느니, 코제트를 위해 얻어 쓴 빚이 아직도 남아 있어 그 계산을 하고 있다느니 하는 따위의 구실을 붙여 이쪽 사람들의 애를 태우고 있었다.

"이번에는 내가 직접 가서 코제트를 데려오겠소."

마들렌이 말했다.

팡틴은 마들렌 편에 편지를 보내기로 했다.

> 테나르디에 씨, 이분에게 코제트를 보내 주세요. 자질구레한 비용은 모두 이분이 지불할 것입니다. 여러 가지로 잘 부탁드립니다.

팡틴은 마들렌이 쓴 편지에 서명을 했다.

마들렌 시장과 자베르 경위

어느 날 아침, 마들렌은 급한 일을 처리하고 코제트를 데리러 몽페르메유로 가기 위해 시청 집무실에서 서류를 훑어보고 있었다.

그 때, 갑자기 자베르 경위가 그를 찾아왔다. 자베르는 전에 없이 아주 침울한 표정이었다.

"무슨 일이오, 자베르 경위?"

자베르는 생각에 잠긴 듯 잠시 말이 없다가, 이윽고 착 가라앉은 어조로 말했다.

"시장님, 저를 파면시켜 주십시오."

"아니, 그게 무슨 소리요?"

"저는 중대한 잘못을 저질렀습니다. 6주일 전 그 여자의 일이 있은 뒤, 저는 격분하여 시장님을 파리 경시청에 고발했습니다."

"시장이 경찰권을 침해했다고 말이오?"

마들렌의 얼굴에는 웃음이 떠올랐다.

"수배 중인 전과자로서 말입니다."

마들렌의 얼굴빛이 변했다.

그러나 자베르는 고개를 숙이고 있어서 아무런 낌새도 알아차릴 수 없었다.

"으음……."

"저는 그렇게 믿고 있었습니다. 얼굴이 닮았다는 것, 포슐르방 영감 사건 때 보인 힘 등으로 장발장이라는 사나이라고 생각했습니다."

"뭐라고? 뭐라고 그랬소, 그 이름이?"

"장발장입니다. 20년 전 제가 툴롱 교도소에서 근무할 때 보았기 때문에 알고 있습니다. 그자는 교도소에서 나가 또 죄를 저질렀습니다. 주교관에 들어가 은그릇을 훔친 것으로 알려져 있습니다. 그래서 8년 전부터 수배 중이었는데, 행방을 알 수가 없었습니다. 그자는 전과자라는 신분을 숨기기 위해 노란색 통행증을 제시하지 않고 돌아다녔을 것이므로, 이번에 체포되면 종신 징역을 받을 것이 틀림없습니다."

"종신 징역!"

"저는 시장님이 정말 장발장이라고 생각했기 때문에 파리 경시청에 고발했던 것입니다. 시장님을 고발하는 것이 무례하기 짝이 없겠지만, 제가 찾던 범인이라면 마땅히 잡아야 했으니까요."

조금 전부터 마들렌은 다시 서류를 손에 들고 완전히 무심한 태도로 돌아가 있었다.

"그래, 뭐라고 회신이 왔소?"

"터무니없는 오해라는 겁니다. 장발장은 이미 체포되어 재판을 받고 있다면서."

마들렌은 들고 있던 서류를 떨어뜨렸다.

자베르의 말에 의하면, 경찰에 잡혔다는 장발장은 샹 마티유라는 이름을 가지고 있었다고 했다.

그는 사과를 훔치다가 잡혀서 가벼운 벌을 받을 예정이었는데, 뜻밖에도 장발장으로 밝혀졌다는 것이었다. 그가 아라스 시의 교도소로 옮겨졌을 때, 한 죄수가 그를 알아보았다는 것이다.

"그 사람은 자백했소?"

"물론 아니라고 시치미를 뗐습니다. 워낙 교활한 놈이니 순순히 자백할 리가 없지요. 하지만 증인들이 있으니 꼼짝 못 하게 되었지요. 그놈의 얼굴을 아는 죄수가 지금도 툴롱 교도소에 있습니다. 두 명을 아라스 교도소에 보내어 샹 마티유라고 주장하는 그놈을 보였더니, 틀림없는 장발장이라고 했습니다."

"당신도 그를 보았소?"

"네, 제가 보기에도 장발장이 분명했습니다. 보통 사람의 경우 사과를 훔친 것쯤은 경범죄에 불과하지만, 장발장은 다른 죄가 겹쳐 중죄로 다스려질 것입니다. 종신 징역이 확실합니다."

그에 대한 재판은 이튿날 열리며, 자베르 자신도 증인으로 출두하게 된다고 덧붙였다.

"잘 알았소."

"시장님, 저를 파면시켜 주십시오."

자베르가 말했다.

"직무를 충실히 수행하려 했던 거니까, 당신은 파면당할 이유가 없소."

"존경받는 시장님을 아무런 증거도 없이 고발한 것은 중대한 실수입니다. 제 잘못에 대해 책임을 지겠습니다."

"당신은 하찮은 실수를 너무 큰 잘못으로 과장하고 있소."

"절대로 그렇지 않습니다. 저는 후임자가 올 때까지만 근무하겠습니다."

자베르는 정중하게 경례를 하고 문 쪽으로 걸어갔다.

뚜벅뚜벅 걸어가는 그의 발소리를 들으며 마들렌은 깊은 생각에 잠겼다. 도대체 어떻게 된 영문인지 얼떨떨했다. 상상할 수 없는 일이었다. 그러나 사실인 것만은 분명했다. 장발장이라는 더럽혀진 이름을 마음 속 깊이 감춘 뒤로 아무런 두려움 없이 밝은 세상을 살아갈 수 있을 것이라고 그는 믿었다.

미리엘 주교를 만나 새로운 인생을 시작한 지 8년이 지났다. 그는 열심히 일했고, 착하고 보람 있게 살려고 노력했다. 그리하여 몽트뢰유 쉬르 메르의 시장이 되었고, 마들렌이라는 이름도 널리 알려졌다. 마들렌이라는 사람으로 계속 살아간다면 일생은 평화로울 것이다. 많은 사람들을 위해 좋은 일도 할 수 있을 것이다.

그런데 생각지도 않은 일이 벌어졌다. 엉뚱한 사람이 장발장으로 오인되어 억울한 누명을 썼다. 그는 종신 징역을 받을 처지에 놓여 있다. 사과를 훔쳤다는 죄 때문에 그는 목에 쇠사슬을 감고 발목에는 족쇄를 찬 채 죽을 때까지 감옥에서 살아야 하는 것이다.

어떻게 할 것인가? 모른 체할까? 그 사람을 구해야 할까? 어쨌든 결정을 내리지 않으면 안 되었다.

마들렌은 책상에 엎드려 있다가 벌떡 일어나 집무실을 나왔다.

진료소에 가서 팡틴을 찾아보았다. 의사는 팡틴의 병세가 하루 사이에 악화되었다고 말했다.

마들렌은 팡틴에게 곧 코제트를 데려오겠다고 말하여 안심시켰다.

진료소에서 나온 마들렌은 삯마차를 빌려 주는 곳으로 갔다. 자베르는 샹 마티유라는 사람의 재판이 이튿날 아라스 시의 재판소에서 열린다고 말했었다. 마들렌은 다음 날 새벽에 마차를 보내 달라고 부탁하고 돈을 치렀다.

마들렌은 믿을 수 없었다. 아라스로 가려고 마차를 부탁해 놓았지만, 정말 가게 될지 어떨지 그 자신도 믿을 수가 없었다. 법정에 나가 자기가 장발장이라고 밝히면 모든 것이 끝장이다. 그런데 그는 죽음을 앞둔 팡틴에게 코제트를 데려다 주겠다고 약속했다. 아라스로 가는 것이나 코제트를 데리러 가는 것이나 모두 시간을 다투는 일이었다.

집으로 돌아온 마들렌은 늘 그렇듯이 혼자서 저녁 식사를 했다. 그는 혼자만의 외로운 생활에 익숙해져 있었다. 그런데 이 날만은 마음을 차분히 가라앉힐 수가 없었다.

마들렌의 집에는 보통때는 자물쇠를 채워 두는 아주 작은 방이 있었다. 그날 저녁, 그는 그 방을 열고 낡은 옷과 배낭과 지팡이, 그리고 은촛대를 꺼냈다. 미리엘 주교의 집에서 훔쳤던 은그릇은 돈과 바꾸었고, 은촛대만은 남겨 두었었다.

그는 그것들을 가지고 벽난로 앞으로 갔다.

'그냥 모른 체해 버리자. 모든 것을 버리고 다시 교도소로 갈 수는 없어. 내가 교도소에 가면 구슬 공장과 수많은 종업원들은 어떻게 할 것인가. 이대로 마들렌으로 행세하자. 자베르도 나에 대한 의심을 거

두었으니, 이제는 평생 편안하게 지낼 수 있다.'

그런 생각을 하며 그는 옷과 배낭과 지팡이를 벽난로 속으로 던졌다. 그가 장발장임을 증명하는 물건들이 불타기 시작했다.

이번에는 은촛대를 던질 차례였다. 그는 그것을 힘껏 거머쥐었다. 그러나 그의 손은 부들부들 떨렸다. 은촛대를 벽난로 위 선반에 올려놓고 나서야 가까스로 마음이 가라앉았다.

밤늦도록 의자에 앉아 있던 마들렌은 어느 결에 깜빡 잠이 들었다.

새벽 네 시쯤, 그는 말발굽 소리를 듣고 눈을 번쩍 떴다.

바깥은 아직 어두웠다. 그는 칸델라로 창 밖을 비춰 보았다. 마부가 마차를 끌고 와 있었다. 흰 말이 끄는 소형 마차였다.

그는 공장 문지기로, 그의 시중을 드는 여자에게 먼 곳에 다녀오겠다고 말하고, 흰 망토 차림으로 집을 나섰다. 밖에는 눈이 쌓인데다 강한 바람까지 불고 있었다.

"시장님, 조심하십시오."

마부가 말했다.

마들렌은 마부를 돌려보내고 마차에 올랐다. 이윽고 마차는 출발했다.

처음부터 맹렬한 속도로 달렸다. 얼마쯤 가다가 맞은편에서 오던 마차와 가볍게 부딪쳤다. 우편물을 싣고 아라스와 몽트뢰유 쉬르 메르 사이를 오가는 마차였는데, 오전 한 시에 아라스를 출발하여 다섯 시에 몽트뢰유 쉬르 메르에 도착하게 되어 있었다.

동틀 무렵, 마들렌이 탄 마차는 눈 덮인 들판을 질주하고 있었다. 그리고 날이 훤히 밝았을 때는 어느 여관 앞에 닿았다. 말에게 먹이를 주고, 또 쉬게 할 필요가 있었다.

마구간 사나이가 말먹이를 가져왔다.

"이 마차로 사고 없이 여기까지 오셨다니 놀랍습니다."

그가 마차 바퀴를 가리키며 말했다.

바큇살 두 개가 부러지고, 바퀴통은 찌그러져 있었다. 우편 마차에 부딪혀서 그렇게 된 것이었다.

"이 바퀴를 고칠 수 있겠소?"

"내일 출발하신다면……."

"내일? 그건 안 되오. 한 시간이라면 몰라도."

고장난 바퀴를 고치려면 하루가 꼬박 걸려야 한다고 마구간 사나이는 말했다. 그래서 마들렌은 바퀴를 새로 갈아 끼우려고 했다. 그러나 똑같은 바퀴를 구할 수 없어 아예 마차를 바꾸어 버렸다.

새 마차를 구하는 데도 오랜 시간이 걸려, 그는 저녁 여덟 시나 되어서야 아라스에 도착할 수 있었다.

법정의 재판은 보통 여섯 시에 끝나게 되어 있었다. 그런데 중죄 재판정에는 아직 불이 켜져 있었다. 재판이 끝나지 않았음을 알고 그는 부리나케 달려갔다.

"지금 들어갈 수 있습니까?"

법정 입구의 수위에게 물었다.

"안 됩니다. 지금 막 재판이 시작되었습니다."

"그렇다면 지금 들어가도 되지 않겠습니까?"

"빈 자리가 하나도 없습니다. 법관석 뒤의 특별 방청인석이 두어 개비어 있습니다만, 거기는 관리들이 앉게 되어 있지요."

그 말을 듣고 마들렌은 종이 쪽지를 꺼내어 '몽트뢰유 쉬르 메르 시장 마들렌'이라고 써서 수위에게 건네주었다.

"이것을 재판장에게 전해 주시오."

수위는 그 쪽지를 들고 안으로 들어가더니 잠시 후에 나왔다.

"저를 따라오시지요."

마들렌은 그의 정중한 안내를 받아 특별 방청인석으로 들어갈 수 있었다. 그가 들어가자 재판장이 공손히 목례를 했다. 법관들은 명성을 들어 잘 알고 있는 마들렌 시장이 방청하러 온 것을 반가워하는 눈치였다. 마들렌이 자리에 앉았을 때는 변호사의 변론이 거의 끝나 가고 있었다.

법정 분위기는 엄숙했다. 문 옆의 나무 벤치에 헌병 두 명이 앉아 있고, 그 사이에 피고가 멍한 표정으로 앉아 있었다.

마들렌은 그를 금방 알아보았다. 자기의 늙은 모습과 닮아 보였기 때문이다. 그런데 얼굴을 자세히 보면 달랐다. 다만 몸집이라든가 태도가 비슷해 보일 따름이었다. 그는 약간 바보스러워 보였는데, 그 점은 장발장과 전혀 달랐다.

검사가 일어나서 피고의 죄를 늘어놓았다.

사과를 훔쳤을 뿐인 피고는 장발장의 죄를 모조리 뒤집어쓰고 있었다. 피고는 그저 기가 막히다는 듯 검사의 입만 줄곧 바라보고 있었다.

재판장이 피고를 일어서게 한 다음, 형식적인 질문을 했다.

"더 할 말이 없는가?"

"나는 장발장이 아닙니다. 파리에서 목수 노릇을 하던 샹 마티유란 말입니다. 나는 발루 영감 밑에서 일을 했으니까, 그 영감에게 물어보면 다 알아요."

재판장이 배심원들에게 말했다.

"발루 노인을 불렀지만, 그는 출두하지 않았습니다. 파산한 다음 어디론가 사라졌다고 합니다."

그리고 재판장은 다시 피고에게 질문을 던졌다.

"피고는 과수원 담장을 넘어가 사과를 훔쳤는가? 그리고 피고는 장발장인가? 이 두 가지에 대해 신중하게 생각해서 답변하기 바란다."

불쌍하게도 피고는 말재주가 없는 사람이었다. 보통 사람보다 지능이 떨어지는 편인 그는 엉터리 재판으로 골탕먹는 것이 화가 나서 성의 있는 답변조차 하지 않으려 했다.

피고가 대답을 제대로 못하는 것은 죄를 범한 증거라고 검사가 준엄하게 말했다. 검사는 샹 마티유의 정체에 대해 그럴듯한 자료를 갖고 있었다. 즉, 샹 마티유의 '샹'은 그가 간 적이 있는 지방의 사투리로 원래는 '장'을 가리키는 말이고, '마티유'는 장발장의 외가 쪽 성이라는 것이었다. 그러니까 장발장이 전과자 신분을 숨기기 위하여 어머니 집안의 성을 따서 '장 마티유'로 행세했는데, 이것은 곧 '샹 마티유'라는 것이었다.

"나는 장발장이 아닙니다. 당신은 무슨 원한이 있어서 나를 못살게 구는 거요? 나는 발루 영감네 집에서 일하던 샹 마티유란 말이오."

피고가 검사를 향해 소리쳤다.

그러나 재판은 피고에게 점점 불리해지고 있었다.

툴롱 교도소의 장기 복역수 세 명이 나와 피고를 틀림없는 장발장이라고 증언했기 때문이다. 증인들의 진술이 끝나자 재판장은 다시 피고에게 말했다.

"잘 들었는가?"

재판관의 말에 샹 마티유가 벌떡 일어났다.

"흥! 멋대로 지껄이는군. 이 엉터리들아! 난 사과를 몇 개 주웠을 뿐이야! 장발장인지 뭔지는 알지도 못해! 난 샹 마티유란 말이야!"

갑자기 재판정이 어수선해졌다.

그 때, 특별 방청인석에서 누군가가 일어나 소리쳤다.

"여보게들!"

그는 세 증인의 이름을 일일이 부르며 법정으로 내려섰다. 모든 사람들의 눈길이 그에게 쏠렸다. 마들렌이었다.

그는 증인들 앞으로 다가갔다.

"나를 기억 못하겠는가?"

증인들은 얼빠진 표정이거나 잔뜩 겁먹은 표정이 되었다.

그들은 마들렌, 즉 옛날 그들과 함께 툴롱 교도소에 있었던 장발장 앞에서 고개를 가로저었다.

"배심원 여러분, 피고를 석방해 주시기 바랍니다. 그리고 나를 체포 하십시오. 당신들이 찾고 있는 전과자 장발장은 이 사람이 아니라 바로 납니다."

법정은 소란스러워졌다.

재판장과 검사의 눈이 마주친 것은 바로 그 때였다. 재판장은 검사에게 고개를 끄덕였다.

"여러분 중에 혹시 의사가 안 계십니까? 의사가 안 계신다면, 누구라도 마들렌 씨를 댁까지 모셔다 주십시오."

검사가 방청석을 향해 말했다.

그러자 마들렌은 증인들을 향해 돌아섰다.

"부르베, 감옥에서 입던 바둑판 무늬 멜빵 바지 생각나나?"

그 말에 부르베라 불린 첫 번째 증인이 흠칫 놀랐다.

"슈날디외, 자네는 오른쪽 어깨에 불로 지진 흉터가 있지. 무기 징역을 받은 죄수라는 글자를 지우려고 난로에 어깨를 갖다 댔잖나. 그리고 코슈파유, 자넨 왼쪽 팔꿈치에 퍼런 문신이 있지. 나폴레옹 황제가 칸에 상륙한 날짜인 1815년 3월 1일을 새긴……."

법정에는 이미 재판장도 검사도 배심원도 없었다. 모두들 혼란에 빠져 넋을 잃고 있었다.

"이만하면 확실히 아셨지요? 여기 있는 이 마들렌이 바로 툴롱 교도소에 있던 장발장입니다."

법정은 숙연해졌다.

법관들은 잘못된 재판에 대해 부끄러움을 느끼면서도 자기 신분을 밝히는 마들렌의 행위에 감동되어 말문을 열지 못하고 있었다.

"신성한 법정에서 소란을 피워 죄송합니다. 나를 지금 체포하지 않는다면, 이 자리를 떠나겠습니다. 나는 다시 감옥으로 가기 전에 꼭 해야 될 일이 있습니다."

마들렌은 출구를 향해 천천히 걸어갔다. 아무도 그를 붙들려고 하지 않았다. 다만 길을 비켜 줄 뿐이었다.

그 후 한 시간이 못 되어 샹 마티유는 석방되었다. 그는 처음 체포되었을 때와 같이 어처구니없다는 표정으로 사라졌다.

팡틴의 죽음

마들렌은 우편마차를 타고 몽트뢰유 쉬르 메르로 돌아왔다.

'남아 있는 시간이 얼마 안 되니 서둘러야 한다.'

그는 먼저 은행에 들러 63만 프랑을 찾았다. 그것을 자기만 아는 숲 속의 은밀한 장소에 묻었다.

그런 다음, 그는 팡틴이 누워 있는 진료소로 달려갔다.

팡틴은 마들렌이 돌아오기를 고대하고 있었다.

"시장님은 아직 안 돌아오셨나요?"

팡틴은 마들렌이 코제트를 데리러 간 줄 알고 간호하는 수녀에게 똑같은 질문을 여러 번 되풀이했다.

"아마 이틀이나 사흘은 걸릴 거예요. 안심하고 기다리세요."

팡틴의 창백한 얼굴에 기쁨이 떠올랐다. 그 순간만큼은 중병에 걸려 있는 사람 같지 않았다.

팡틴의 병은 폐결핵이었다. 팡틴이 거의 절망적인 상태에서도 끈질기게 버티고 있는 것은 딸 코제트를 만나겠다는 일념 때문인지도 몰랐다.

"코제트는 꼭 돌아오겠지요?"

"시장님이 약속하셨으니, 걱정 말고 편히 주무세요."

"기뻐서 잠이 오질 않아요."

팡틴은 자기 병실에 작은 침대를 하나 준비해 달라고 수녀에게 부탁했다. 딸 코제트를 위한 침대였다. 수녀는 기꺼이 그렇게 해 주겠다고 대답했다.

그 때, 문이 열리고 의사와 함께 마들렌이 들어왔다. 어디서 그런 힘이 생겼는지, 팡틴은 벌떡 일어나 앉아 문 쪽을 살폈다.

"우리 코제트가 왔어요?"

"아이는 지금 옆방에 와 있어요."

의사가 마들렌 대신 말했다. 위독한 환자를 실망시키지 않으려는 말이었다.

"어서 데려다 주세요. 빨리 안아 보고 싶어요."

"아직 안 됩니다. 열이 매우 높은 상태라서, 지금 아이를 만나면 몸에 해로워요."

"아니에요. 코제트를 보면 몸이 좋아질 거예요."

마들렌이 그녀의 손을 잡았다.

"곧 이리로 올 거요. 이렇게 흥분하면 기침이 나와서 아이한테도 좋지 않으니, 좀 참아요."

"나는 아무래도 괜찮아요. 시장님, 어서 코제트를 데려다 주세요."

마침 아래층에서 어린애의 웃음소리가 들려왔다.

"저 애가 코제트로군요. 오, 왔구나! 얼마나 컸을까? 벌써 여덟 살이야. 5년 동안이나 버려 두었으니, 나를 얼마나 원망할까?"

팡틴의 여윈 볼에 눈물이 주르륵 흘러내렸다.

"하느님께서 코제트를 보살펴 주실 거요."

마들렌이 위로의 말을 했다.

"아니에요. 내가 보살피겠어요. 난 오늘 중으로 일어날 수 있을 거예요. 어서 열 내리는 약을 주세요."

마들렌이 의사를 방 한구석으로 데리고 갔다.

"병세가 어떻습니까?"

"이제 며칠 안 남았습니다."

"며칠이라……."

마들렌은 신음하듯 중얼거렸다.

그 때 갑자기 팡틴의 얼굴이 굳어졌다. 공포에 질린 듯했다.

"무슨 일이오?"

마들렌이 물었다.

그러나 팡틴은 대답하지 않았다. 마들렌은 그녀의 눈길을 좇아 문 쪽을 보았다. 자베르가 서 있었다.

마들렌과 눈이 마주친 순간, 자베르의 얼굴에 미소가 떠올랐다. '마침내 잡았군.' 하는 표정이었다.

"시장님, 살려 주세요!"

팡틴은 금방이라도 숨이 넘어갈 듯했다.

"당신을 잡으러 온 게 아니니까, 안심해요."

마들렌은 팡틴에게 말하고, 자베르를 향해 돌아섰다.

"무슨 일로 왔는지 알고 있소. 하지만 잠깐만 기다려 주시오."

"또 무슨 수작을 부리려고?"

자베르는 대뜸 마들렌의 멱살을 잡았다.

"시장님!"

팡틴이 소리쳤다.

"흥, 시장이라고? 여기 시장 따위는 없어!"

자베르가 웃음을 터뜨렸다.

"자베르, 자네에게 부탁이 있네."

마들렌이 작은 목소리로 말했다.

"크게 말해!"

"사흘 동안만 여유를 주게. 저 가엾은 여인에게 딸을 데려다 주어야 하네. 미심쩍으면 함께 가도 좋아."

마들렌은 팡틴에게 들리지 않도록 속삭이듯 말했다.

"저 여자의 딸을 데려오겠다고? 그게 장발장의 마지막 부탁인가? 무릎을 꿇고 빌어도 소용 없어."

자베르의 말에 팡틴은 깜짝 놀랐다.

"우리 코제트를 데리러 간다고요? 시장님, 코제트가 여기 오지 않았나요?"

"이자는 시장이 아니라고. 마들렌 시장이라는 가면을 쓰고 있던 전과자 장발장이야."

"거짓말! 이분은 인자한 시장님이에요!"

팡틴은 두 팔을 짚고 침대에서 간신히 일어나 앉았다. 그리고 마들렌과 자베르에게 뭐라고 말을 하려 했으나, 목에 가래가 끓는 듯 괴로운 표정을 짓다가 순식간에 얼굴빛이 달라졌다. 그리고 온몸을 부르르 떨더니 입이 딱 벌어졌다. 그대로 숨이 넘어간 것이다.

"네가 이 여자를 죽인 거야."

마들렌은 재빨리 침대머리에 있는 가로쇠를 뜯어 냈다. 그 무서운 힘에 모두 눈이 휘둥그레졌다. 자베르는 질린 표정으로 뒷걸음질을 쳤다.

"자베르, 잠시만 나를 방해하지 마라."

마들렌은 그 가로쇠로 자베르를 막으며 팡틴에게로 다가갔다. 갑자기 벌어진 상황에 자베르도 당황했다. 그 사이에 마들렌은 팡틴을 바로 뉘었다. 그리고 그 눈을 감겨 주었다.

팡틴의 한 손이 침대 밑으로 늘어져 있었다. 마들렌은 무릎을 꿇고 그 손을 가만히 들어올려 입을 맞추었다.

잠시 후, 그는 허리를 펴고 자베르 쪽으로 돌아섰다.

"이제는 마음대로 하게."

자베르는 마들렌을 시의 교도소에 집어 넣었다. 그 소식은 몽트뢰유 쉬르 메르 사람들에게 큰 충격을 주었다. 서글프게도 마들렌이 전과자였다는 말에 대부분의 사람들은 그를 저버렸다.

하루 종일 시내의 어디에서나 다음과 같은 대화를 들을 수 있었다.

"자네, 아직 모르나? 그 사람이 전과자였대!"

"누구 말이야?"

"시장 말이야."

"뭐라고? 마들렌 씨가?"

"응, 그렇다니까."

"어쩐지 수상하다고 생각했어. 그자는 너무 친절하고, 지나치게 선량하고 점잖더라니까."

이렇게 하여 마들렌이라고 불리던 그 환영은 몽트뢰유 쉬르 메르에서 사라져 버렸다. 온 시내에서 뒷날까지 충실하게 그 기억을 간직하고 있던 사람은 서너 명밖에 없었다. 그의 시중을 들던 문지기 아주머니도 그 서너 명 중의 한 사람이었다.

그날 밤, 문지기 아주머니 앞에 마들렌이 나타났다.

"아니, 시장님! 저는 시장님께서……."

문지기 아주머니는 말문이 막혀 버렸다.

장발장은 그녀가 못한 말을 대신 했다.

"교도소에 있는 줄 알았겠지요. 역시 거기 있었소. 그런데 쇠창살을 부수고 지붕에서 뛰어내려 이리로 온 거요. 사정 이야기는 나중에 하고, 빨리 생플리스 수녀를 좀 불러 주시오. 내 방에 올라가 있겠소."

생플리스 수녀는 팡틴을 간호하던 수녀였다.

문지기 아주머니가 생플리스 수녀를 부르러 간 뒤, 장발장은 자기 방으로 올라갔다. 그는 벽장에서 낡은 셔츠를 끄집어 내어 찢었다. 그리고 그것으로 두 개의 은촛대를 쌌다.

곧 생플리스 수녀가 달려왔다.

"수녀님, 이걸 주임 사제님께 전해 주십시오."

마들렌이 편지를 내밀며 말했다.

공장의 재산 중 소송 비용과 팡틴의 장례 비용을 뺀 나머지를 가난한 사람들에게 나누어 주라는 것이었다.

그 때, 밖에서 문지기 아주머니의 목소리가 들렸다.

"오늘 하루 종일 아무도 오지 않았어요."

"그런데 방에 불은 왜 켜 있지?"

그렇게 말하는 사람은 자베르였다.

장발장은 구석으로 몸을 숨기고, 생플리스 수녀는 책상 옆에 무릎을 꿇었다. 그것은 자베르가 문을 연 것과 거의 동시에 이루어진 일이었다.

자베르는 생플리스 수녀를 보고 멈칫했다.

"이 방에 수녀님 혼자뿐입니까?"

평생 거짓말을 한 적이 없는 수녀가 대답했다.

"그렇습니다."

"혹시 장발장이란 놈을 보신 적 없으십니까?"

"없습니다."

"실례했습니다."

자베르는 정중하게 인사를 한 다음, 조금도 의심하는 기색 없이 돌아섰다.

그로부터 한 시간 후, 장발장은 작업복 차림으로 보퉁이 하나를 든 채 몽트뢰유 쉬 메르를 떠났다.

마들렌, 아니 장발장은 다시 붙잡혔다. 3, 4일 후 몽페르메유로 가는 마차를 타려다가 잡혔던 것이다.

1823년 7월 25일, 《주르날 드 파리》라는 신문에 다음과 같은 기사가 실렸다.

　　장발장은 3, 4일 동안 라피트 은행에 예금해 두었던 60, 70만 프랑의 돈을 찾아간 것으로 보이는데, 그 돈을 어디에 숨겼는지는 아무도 모른다고 한다.

　　어쨌든 장발장은 바르 현의 중죄 재판소에서 재판을 받은 결과, 사형 선고를 받았다. 그러나 국왕께서 관용을 베풀어 무기 징역으로 감형되었다. 그리하여 장발장은 툴롱 교도소로 이송되었다.

같은 해 10월 말경, 툴롱 항에 프랑스 군함 오리옹 호가 들어왔다. 폭풍우를 만나 부서진 부분을 수리하기 위해서였다.

오리옹 호가 정박한 해안 일대에는 아침부터 저녁까지 많은 구경꾼들이 모여들었다. 한가한 사람들에게는 웅장한 군함의 모습이 대단한 구경거리였던 것이다.

어느 날, 인부들이 활대에 돛을 달아매고 있는 것을 구경하던 사람들은 뜻밖의 사고를 목격하게 되었다.

"앗!"

사람들은 일시에 비명을 질렀다.

큰 돛을 펴기 위해 돛대 맨 꼭대기에서 일하던 인부가 발을 잘못 디뎌 몸의 균형을 잃고 비틀거렸던 것이다.

그 인부는 머리를 아래로 하고 활대 둘레를 빙 돌아서 두 팔을 벌린 채 떨어졌다. 그렇게 떨어지는 도중 그는 요행히 한쪽 손으로 돛 아래 밧줄을 잡은 다음, 다른 한쪽 손으로 마저 잡아 거기에 매달렸다. 그의 발밑에는 아득한 깊이의 바다가 입을 벌리고 있었으며, 떨어지는 반동으로 밧줄은 그네처럼 심하게 흔들렸다. 인부의 몸뚱이는 그 밧줄 끝에서 이리저리 휘둘리고 있었다.

"떨어지면 죽을 텐데!"

"저 사람을 구할 방법이 없을까?"

사람들은 저마다 손에 땀을 쥐고 웅성거렸다. 그러나 누구 하나 그를 구하려고 나서는 사람이 없었다. 인부들은 모두 새로 채용되어 일하고 있는 바닷가의 어민들이었으므로, 아무도 그런 위험한 일을 하려고 하질 않았다.

안타까운 시간이 흘러갔다. 인부는 점점 힘이 빠져 축 늘어졌다. 이대로 가다가는 밧줄을 놓치고 떨어져 죽을 것이 분명했다. 어떤 사람들은 인부가 떨어지는 순간을 차마 볼 수 없다는 듯이 지레 눈을 감기도 했다. 바로 그 때였다.

"와아!"

사람들의 입에서 함성이 터졌다. 어떤 사나이가 살쾡이처럼 빠른 동작으로 돛의 밧줄을 타고 기어오르기 시작했던 것이다.

그는 붉은 옷을 입은 죄수였다. 더구나 녹색 모자를 쓰고 있었다. 그것은 종신 징역을 선고받은 죄수들이 쓰는 것이었다.

용감한 사나이는 돛대 꼭대기까지 단숨에 올라갔다. 그 때 바람에 모자가 날아가는 바람에 흰 머리가 드러났다.

"아니, 늙은이잖아!"

사람들은 더욱 놀랐다.

배 안에서 감옥의 노역을 치르고 있던 그 노죄수는, 사고가 나자 곧 당직 장교에게 달려가 인부를 구출하게 해 달라고 간청했던 것이다. 장교가 고개를 끄덕이자, 그 죄수는 발목에 차고 있던 쇠사슬을 쇠망치로 단번에 두들겨 부수었다. 그리고 눈 깜짝할 사이에 밧줄을 타고 오른 것이었다.

죄수는 거침없이 돛대를 기어가서, 자기가 가지고 올라간 밧줄의 한쪽 끝을 돛대에 묶고 한쪽 끝은 아래로 내려뜨렸다. 밧줄은 인부가 매달린 곳까지 늘어졌다.

죄수는 그 밧줄을 타고 내려오기 시작했다. 사람들은 숨을 죽인 채 그 광경을 지켜보았다. 허공에서 두 사람의 몸이 흔들리고 있었다. 인부에게 다가간 죄수는 한 손으로 밧줄을 잡고 다른 한 손으로는 인부의 몸을 묶기 시작했다.

사람들이 초조하게 지켜보는 동안, 죄수는 인부의 몸을 밧줄로 묶는데 성공했다. 그런 다음, 활대로 다시 올라가 인부를 끌어올렸다. 그는 거기서 인부가 기운을 차리도록 한참 동안 붙잡고 있다가, 두 팔로 끌어안고 활대 위의 가로대가 있는 데까지 걸어갔다. 그리고 동료들의 손에 그 인부를 넘겨 주었다.

"와아, 성공이다!"

함성과 박수가 터졌다. 눈물을 흘리는 사람도 있었고, 어떤 사람들은 서로 껴안고 어쩔 줄 몰라했다.

"저 사람을 풀어 주어라!"

사람들이 소리쳤다.

죄수는 사람들의 환호 속에 활대에서 내려오기 시작했다. 그런데 인부를 구하느라 힘이 빠졌는지, 아니면 어지러웠는지 별안간 휘청거렸다. 그리고 사람들의 비명과 함께 곧장 바다로 떨어졌다.

"오, 하느님!"

구경하던 사람들이 놀라서 소리쳤다.

죄수는 나란히 정박해 있던 오리옹 호와 또 한 척의 군함 알제시라스 호 사이에 떨어졌다. 곧 보트를 내렸다. 네 명의 수병이 보트를 타고 죄수가 떨어진 곳으로 갔다.

수병들은 저녁때까지 찾아보았지만, 용감한 죄수의 모습은 어디에도 없었다. 잠수해서 물 속을 뒤져 보았으나, 시체조차 발견되지 않았다.

이튿날, 툴롱의 한 신문에는 다음과 같은 기사가 실렸다.

> 1823년 11월 17일
> 어제 오리옹 호 갑판에서 일하던 한 죄수가 위기에 처한 인부를 구출하고 돛대에서 내려오다가 바다에 빠져 죽었다. 시체는 발견되지 않았다. 아마 바닷속 교각 밑으로 빨려들어간 것 같다. 그 죄수의 이름은 장발장이다.

아, 코제트

몽페르메유는 높은 지대에 있어서 물이 귀했다. 물을 길어 오려면 꽤 먼 데까지 가야 했다.

부잣집이나 귀족들, 또 테나르디에의 여관 같은 곳에서는 물 긷는 노인에게서 물을 사서 썼다. 노인은 여름에는 저녁 일곱 시까지, 겨울에는 다섯 시까지만 일을 했다. 그래서 밤에 물이 떨어지면 직접 길어 와야 했다.

코제트가 특히 두려워하는 일이 바로 물 긷는 일이었다. 밤에 숲 속의 샘까지 가는 일이 너무 무서웠다.

1823년 12월, 쓸쓸하던 몽페르메유도 크리스마스를 앞두고는 제법 사람들로 북적거렸다.

파리에서 곡예사들이 와서 큰길가에 천막을 치고, 노점마다 손님 부르는 소리, 물건 흥정하는 소리들로 시끄러웠다.

크리스마스 날 저녁, 테나르디에의 여관에는 마차꾼과 상인 몇 명이 술을 마시고 있었다.

테나르디에의 아내는 밝게 타오르는 불 앞에서 익어 가는 저녁 식사거리를 지켜보고 있었고, 주인인 테나르디에는 손님들과 어울려 술을 마시면서 정치 이야기를 하고 있었다.

코제트는 여느 때와 마찬가지로 벽난로 옆에 있는 주방 식탁 다리의 가로대 위에 걸터앉아 있었다. 그 위에서 여윈 몸에 다 해진 얇은 옷을 입고, 맨발에 나막신을 신은 채 테나르디에의 딸들이 신을 긴 털양말을 짜고 있었다.

새로 네 명의 나그네가 여관으로 들어섰다. 코제트는 가슴이 철렁했다. 물통에 물이 떨어졌기 때문이었다.

"코제트, 어디 있니?"

테나르디에의 아내가 소리쳤다.

코제트는 식탁 밑에서 나와 몸을 움츠렸다.

"꾸물거리지 말고 어서 가서 물을 길어 와!"

테나르디에의 아내는 벽난로 구석에 있는 물통을 가리켰다. 물통은 여덟 살짜리 코제트의 몸뚱이보다 커서, 그 안에 들어앉아도 될 것 같았다.

"돌아오는 길에 빵가게에 들러 빵 한 덩어리도 사 가지고 와. 자, 15수다. 잃어버리면 혼날 줄 알아!"

코제트는 잠자코 돈을 받아 앞치마 주머니에 넣고 밖으로 나왔다.

거리에는 크리스마스 대목을 노린 노점들이 촛불을 대낮같이 밝히고 손님들을 기다리고 있었다. 그 노점 중 맨 끝 가게는 바로 테나르디에의 여관문 맞은편에 있었다. 그 곳은 장난감을 파는 가게였다.

코제트는 물통을 든 채 걸음을 멈추고 그 가게 맨 앞에 진열해 놓은 인형을 바라보았다. 그것은 장밋빛 비단 옷을 입고, 금빛 머리카락을 흰 레이스가 달린 모자 밑으로 늘어뜨리고 있었다. 동그랗고 파란 눈이 코제트를 바라보는 것 같았다.

'저런 인형을 가지면 얼마나 좋을까!'

코제트는 생각했다.

그러나 그것은 어림도 없는 생각이었다. 몽페르메유에서 그만한 인형을 아이들에게 사 줄 정도로 형편이 넉넉하고 사치스러운 어머니는 단 한 사람도 없었다. 테나르디에의 딸들도 몇 시간이나 그 앞에서 넋을 잃고 바라보았으나, 그렇게 보는 것으로 만족해야 했다.

"아니, 저 바보 같은 게 여태 안 가고 뭘 꾸물거리고 있는 거야? 정말 돼먹지 않은 계집애로군. 어서 가지 못해!"

테나르디에의 아내가 장난감 가게 앞에 멍하니 서 있는 코제트를 보고 소리를 질렀다.

코제트는 급히 물통을 들고 숲 쪽으로 뛰어갔다.

크리스마스 야시장은 테나르디에의 여관에서 성당이 있는 길까지뿐이

었다. 성당을 지나자 아무것도 보이지 않고 주위가 캄캄했다.

가면 갈수록 어둠은 더욱 짙어졌다. 숲길로 들어서자, 부엉이가 울고 나뭇가지들이 바람에 흔들리는 소리가 났다. 코제트는 무서워서 몇 번이나 걸음을 멈추었다. 어둠 속에서 무엇인가 튀어나올 것 같았다.

"아!"

코제트는 울고 싶었다. 그대로 돌아가고 싶었지만, 집에 가면 더 무서운 테나르디에 부부가 있었다. 마음을 단단히 먹고 앞으로 나아갔다.

가까스로 샘터에 도착한 코제트는, 숨을 가다듬을 사이도 없이 샘 위로 늘어져 있는 나뭇가지를 더듬어 잡았다. 언제나 그것을 휘어잡고 몸을 지탱했던 것이다. 한 손으로 나뭇가지를 잡고 한 손으로는 물통을 샘물 속에 첨벙 집어넣었다.

그 때 물통과 함께 주머니 속에 있던 동전이 물 속으로 떨어졌다. 그러나 코제트는 그것을 알지 못했다.

코제트는 거의 꽉 차게 물이 담긴 통을 끌어올려 풀밭에 놓았다. 그러고 나자 기운이 다 빠져 버렸다. 코제트는 축 늘어져서 물통 옆에 쭈그리고 앉았다.

어둠 속에서 숲은 거대한 괴물처럼 보였다. 무서워서 얼른 도망치고 싶었지만 일어날 수가 없었다. 코제트는 눈을 꼭 감았다. 그리고 큰 소리로 하나, 둘, 셋, 넷 하고 열까지 세기 시작했다. 두려움을 떨쳐 내는 데는 그것이 가장 좋은 방법이었다.

그렇게 몇 번 되풀이하고 났을 때, 갑자기 물에 적신 손이 시려웠다. 코제트는 비로소 엉덩이를 털고 일어났다.

겨우 물통을 들어올렸다. 코제트는 비틀거리며 걷기 시작했다. 물이 출렁출렁 넘쳐서 치맛자락을 적시고, 나막신 속으로도 들어갔다.

그렇게 열 걸음쯤 걷자, 너무 무거워서 물통을 내려놓지 않을 수 없었다.

"하! 하!"

코제트는 괴로운 듯 가쁜 숨을 몰아쉬었다.

숨을 돌리고 기운을 차리면, 다시 열 걸음쯤 앞으로 나갔다.

그대로 가다가는 한 시간도 더 걸릴 것이다. 테나르디에의 아내에게 매질을 당할 것이 두려워, 코제트는 가슴을 졸였다.

"아아, 하느님!"

코제트가 자기도 모르게 이렇게 외친 순간, 갑자기 물통이 가벼워지는 느낌이 들었다.

깜짝 놀라서 쳐다보니, 어둠 속에서 웬 남자가 코제트와 나란히 물통 손잡이를 들고 있었다.

"어린 몸으로 이토록 무거운 걸 들다니……. 물통이 몹시 무겁지?"

그 사람이 굵고 낮은 목소리로 말했다.

"네."

"이리 줘. 내가 들어다 주마."

그 사람이 다시 말했다.

코제트는 물통에서 손을 떼었다. 그는 물통을 든 채 코제트와 나란히 걸음을 옮겨 놓았다.

불빛이 있는 길로 나왔을 때, 코제트는 그를 흘끗 쳐다보았다. 머리가 흰 노인이었는데, 몸집이 매우 컸다. 순한 느낌이 들어 코제트는 마음을 놓았다.

"그래, 나이는 몇 살이냐?"

"여덟 살이에요."

"이름이 뭐지?"

"코제트예요."

순간, 그는 마치 전기에라도 닿은 것처럼 깜짝 놀란 얼굴로 코제트를 바라보았다. 그러나 곧 서둘러 걸음을 옮겨 놓았다.

"어디서 살고 있니?"

"테나르디에 여관이요. 아세요?"

"그래. 그럼 지금 그리로 가는 거냐?"

"네."

그는 잠시 입을 다물었다가 다시 물었다.

"이런 밤에 누가 물을 길어 오라고 하더냐?"

"테나르디에 아주머니가요. 우리 주인 아주머닌데, 여관을 하고 있어요."

"여관? 오늘은 거기서 묵어야겠구나. 데려다 주겠니?"

"지금 그리로 가는 길이에요."

그는 매우 빨리 걷고 있었으나, 코제트는 별로 힘들이지 않고 따라왔다.

"여관에는 하녀들이 없니?"

"네, 저 혼자뿐이에요. 하지만 여자애들은 둘이 더 있어요. 에포닌과 아젤마인데, 테나르디에 아주머니 딸들이에요."

"그 애들은 일을 안 하니?"

"네. 그 애들은 하루 종일 예쁜 인형을 가지고 재미있게 놀아요."

"그럼 넌?"

"전 하루 종일 일만 해요."

"너는 인형이 없니?"

"제겐 납으로 만든 작은 칼 하나밖에 없어요."

"그걸로는 아무것도 자를 수 없겠지?"

"아니에요. 상추도 자르고 파도 자를 수 있어요."

어느 새 두 사람은 마을로 들어섰다.

"아저씨, 이제 물통은 제가 갖고 갈게요."

"왜?"

"다른 사람이 들어다 준 걸 알면 아주머니한테 매맞아요."

코제트에게 물통을 건네주며 그 사람은 눈시울을 붉혔다.

그는 바로 장발장이었던 것이다.

툴롱 항구에서 바다에 빠져 죽은 것으로 알려진 장발장은 버젓이 살아 있었다.

바다에 떨어졌을 때, 아니 자기 스스로 바다로 뛰어들었을 때, 그는 쇠사슬에서 벗어나 있었다.

그는 물 밖으로 몸을 내밀지 않고 재빨리 잠수해서 어느 배 밑까지 갔다. 그 배에는 작은 보트 한 척이 매어져 있었다. 그는 날이 어두워질 때까지 그 보트 안에 숨어 있다가, 해변으로 올라가 무사히 도망칠 수 있었던 것이다.

코제트가 여관으로 들어서자, 테나르디에의 아내가 소리를 질렀다.

"이 거지 같은 계집애야, 어떻게 된 거냐? 어디서 실컷 놀다가 이제 오는 거야?"

코제트는 벌벌 떨며 몸을 움츠렸다.

"아주머니, 이 손님이 주무시고 가시겠대요."

그 말에 테나르디에의 아내는 얼른 표정을 바꾸어 장발장을 훑어보았다.

"우리 집에서 묵으시겠다고요?"

"네."

장발장은 모자에 손을 대며 공손하게 대답했다.

그가 불빛이 밝은 곳으로 들어서자, 테나르디에의 아내는 그 초라한 행색을 보고 눈살을 찌푸렸다.

그녀는 술꾼들 사이에 끼여 있는 남편을 보았다. 테나르디에는 집게 손가락을 움직여 보였다. 빈털터리 같으니 내쫓으라는 뜻이었다.

그러자 테나르디에의 아내는 얼른 이렇게 말했다.

"할아버지, 미안하지만 빈 방이 없는데요."

"아무데라도 좋으니 묵고 가게 해 주십시오. 헛간이나 마구간이라도 좋습니다. 방 하나 값을 쳐 드리지요."

"방값은 40수예요."

"40수, 좋습니다."

"그럼 그렇게 하시죠."

한 마차꾼이 그녀에게 나지막하게 속삭였다.

"40수라고! 20수잖소?"

테나르디에의 아내는 그와 마찬가지로 낮은 목소리로 말했다.

"저 사람에겐 40수예요. 그 이하로는 가난뱅이를 재울 수가 없어요. 우리 집 품위를 떨어뜨린 대가죠."

아내의 말에 테나르디에는 만족한 듯 고개를 끄덕였다.

그 동안에 장발장은 보퉁이와 지팡이를 내려놓고 의자에 앉았다.

코제트는 얼른 포도주와 잔을 갖다 놓았다. 그리고 늘 앉는 주방 식탁 밑의 자기 자리로 돌아가 뜨개질을 시작했다.

장발장은 포도주를 마시며 코제트를 유심히 바라보았다.

코제트는 그다지 예쁘게 보이지는 않았다. 침울한 얼굴에 여위고 핏기가 없었다. 커다란 두 눈은 빛을 잃고, 입은 끊임없는 고통으로 인해 일그러져 있었다. 군데군데 해진 옷 사이로 뼈가 앙상하게 드러나 보였으며, 온몸은 멍투성이였다. 테나르디에의 아내에게 얼어맞은 자국이었다. 그 몸짓, 목소리, 더듬거리는 말투, 눈길, 침울하게 말이 없는 모습

등은 모두 오직 한 가지, 공포를 나타내고 있었다.

"참, 빵은?"

테나르디에의 아내가 갑자기 생각난 듯이 물었다.

순간, 코제트는 겁에 질린 표정으로 벌떡 일어섰다. 소녀는 빵 생각을 까맣게 잊어버리고 있었던 것이다.

그래서 언제나 겁을 집어먹고 있는 아이들이 흔히 쓰는 방법으로 거짓말을 했다.

"빵가게는 문이 닫혀 있었어요."

"문을 두드리면 되잖아."

"두드렸는데도 안 열어 주었어요."

"그래? 정말인지 거짓말인지 내일 아침에 확인해 보면 되지. 만약 거짓말이면 가만 두지 않을 테다. 그럼 15수 이리 내놔."

코제트는 얼른 앞치마 주머니에 손을 넣었다. 그러다가 얼굴이 새파랗게 질렸다. 돈이 만져지지 않았던 것이다.

"아니, 내 말이 안 들리니?"

테나르디에의 아내가 말했다.

코제트는 주머니를 뒤집어 보았다. 아무것도 없었다. 불쌍한 소녀는 한 마디도 하지 못한 채 돌처럼 굳어 버렸다.

"잃어버렸구나, 그 15수짜리를! 그게 아니면 어디에 감춰 두고 수작을 부리는 거지?"

테나르디에의 아내는 대뜸 벽에 걸린 회초리 쪽으로 팔을 뻗었다.

"잘못했어요, 아주머니! 용서해 주세요, 다시는 안 그럴게요."

코제트는 두 손을 모아 싹싹 빌었다.

테나르디에의 아내는 눈을 부릅뜬 채 회초리를 높이 들었다.

그 때, 갑자기 장발장이 나섰다.

"잠깐, 아주머니! 아까 저 아이의 호주머니에서 뭔가 굴러떨어지던데."

장발장은 바닥에서 뭔가 찾는 시늉을 했다. 그리고 곧 굽혔던 허리를 펴며 은전 한 개를 집어 들었다.

"이거 아닌가요?"

"맞아요. 그거예요!"

그러나 그 은화는 장발장의 주머니에서 나온 것으로 20수짜리였다.

테나르디에의 아내는 은화를 주머니에 집어 넣으며 코제트를 흘겨보았다.

"다시 그런 짓을 했다가는 혼날 줄 알아."

코제트는 테나르디에의 아내가 '그 아이의 집'이라고 일컫는 탁자 밑으로 기어들어가 뜨개질을 시작했다.

안쪽 문이 열리며 두 여자아이가 나왔다. 테나르디에의 딸들인 에포닌과 아젤마였다. 두 아이는 깔끔하고 포동포동하고 생기가 있어 보였다. 두 아이는 벽난로 옆에 앉아 무릎 위에 인형을 놓고 재잘거리며 놀았다.

코제트는 뜨개질하던 손을 멈추고 멍하니 두 아이를 바라보았다.

"아니, 저 계집애가 일을 하는 거야, 마는 거야?"

테나르디에의 아내가 또 호통을 쳤다.

"아주머니, 좀 놀게 해 주시지요."

장발장이 점잖게 말했다.

"아무 일도 안 시키고 공밥을 먹일 순 없잖아요?"

"저 아이는 지금 무슨 일을 하고 있는 겁니까?"

"우리 애들 양말을 뜨고 있어요."

"양말은 한 켤레에 얼마나 하지요?"

"적어도 30수는 될 거예요."

"그럼 그걸 5프랑에 내게 팔지 않겠습니까?"

그 말에 테나르디에의 아내는 반색을 했다.

"좋아요. 손님의 청을 거절할 순 없으니까요."

장발장은 5프랑짜리 지폐를 탁자 위에 꺼내 놓았다.

다른 탁자에서 술을 마시던 마차꾼이 그것을 보고 눈이 휘둥그레졌다.

"농담인 줄 알았더니 진담이었군!"

테나르디에가 그 옆으로 다가가 잠자코 돈을 집어 주머니에 넣었다.

"이제 넌 저쪽에 가서 놀아라."

장발장이 코제트를 돌아보며 말했다.

코제트는 기뻐하며 납칼과 헌 헝겊 조각을 꺼냈다. 테나르디에의 딸들은 인형놀이에 싫증을 느꼈는지 고양이와 놀고 있었다.

코제트가 탁자 밑에서 살그머니 기어나와 한구석에 팽개쳐진 인형을 만졌다. 그러자 두 아이가 제 어머니에게 일러바쳤다.

"코제트!"

테나르디에의 아내가 험악한 표정으로 소리를 질렀다.

코제트는 깜짝 놀라 가슴에 안고 있던 인형을 조심스럽게 마룻바닥에 내려놓았다. 그러나 못내 아쉬운 듯 인형에서 눈길을 떼지 못했다. 그러다가 끝내 울음을 터뜨렸다.

"무슨 일입니까?"

장발장이 물었다.

"저 거지 같은 계집애가 우리 아이의 인형을 몰래 만졌어요."

테나르디에의 아내가 바닥에 놓인 인형을 가리키며 말했다.

"저 애는 인형을 좀 만지면 안 됩니까?"

"더러운 손으로 만지니까 그렇지요!"

테나르디에의 아내가 악을 썼다.

코제트의 울음소리는 한층 커졌다.

"닥치지 못해!"

테나르디에 아내의 소리를 뒤로 하고 장발장은 밖으로 나갔다.

잠시 후에 돌아온 장발장의 가슴에는 멋진 인형이 안겨 있었다.

"자, 네 거다."

코제트는 고개를 들었다. 얼떨떨한 표정이었다.

술을 마시던 마차꾼들이 놀라서 벌떡 일어났고, 다른 탁자에서는 트 럼프놀이도 중단되었다. 테나르디에의 아내는 돌처럼 굳어진 채 아무 말도 못 했다.

장발장이 사 가지고 온 것은 몽페르메유의 제일가는 부잣집 딸도 가 질 수 없다는 장밋빛 옷을 입은 큰 인형이었던 것이다.

코제트는 엄청난 선물 앞에서 망설이고 있었다.

"코제트, 인형을 안 받을 거냐?"

테나르디에의 아내가 애써 부드럽게 말했다.

"착한 코제트, 손님께서 네게 주시는 거야. 어서 받아야지."

테나르디에도 사랑이 듬뿍 담긴 목소리로 말했다.

"가져도 되나요, 아주머니?"

코제트가 테나르디에의 아내에게 겁먹은 표정으로 물었다.

"손님이 네 것이라니까……."

테나르디에 아내의 허락이 떨어지자, 코제트는 얼른 인형을 받았다.

"카트린이라고 불러야지."

코제트가 인형을 받아 가슴에 끌어안으며 말했다.

에포닌과 아젤마가 그 모습을 부러운 듯이 바라보았다.

그날, 장발장은 자정이 지나도록 식탁에 팔꿈치를 괸 자세로 깊은 생각에 잠겨 있었다.

이미 술꾼들은 다 돌아가고 난로의 불도 꺼졌다.

구석에 앉아 장발장을 지켜보던 테나르디에가 다가와 허리를 굽혔다.

"안 주무십니까?"

"아, 그렇지!"

장발장은 그제야 자리에서 일어섰다.

"마구간은 어딘가요?"

"이쪽으로 오십시오."

테나르디에는 장발장을 이층에 있는 방으로 안내했다. 호화로운 가구와 침대가 놓여 있는 방이었다.

"마구간이 꽤 훌륭하군요."

"마구간이라뇨? 여긴 특별한 손님만 모시는 방입니다."

테나르디에가 굽실거리며 말했다.

"난 마구간이라도 괜찮은데……."

"아까는 마누라가 손님을 몰라뵙고 드린 말씀입니다."

테나르디에는 벽난로 위에 있는 두 개의 초에 불을 붙인 다음, 공손히 절을 하고 물러갔다.

코제트를 맡으면서 팡틴에게 적지 않은 돈을 뜯었던 테나르디에는 돈이 생기는 일이라면 물불을 안 가리는 인물이었다.

1815년 프랑스와 영국 사이에 워털루 전쟁이 일어났을 때, 테나르디에는 전쟁터에서 죽은 사람들의 물건을 훔친 적이 있었다.

전쟁이 한창이던 6월 어느 날 밤, 보름달이 밝게 떠 있었다. 영국군의 마지막 공격이 끝났을 때, 몽 생 장 들판에는 사람의 그림자라곤 없었다. 영국군은 프랑스 군의 진영을 점령했다.

전쟁에서 승리자는 도둑으로 바뀌곤 한다. 절반은 도둑이요, 절반은 박쥐 같은 자들, 군복을 입고 있지만 싸움은 하지 않는 자들, 꾀병을 앓는 자들, 날치기들…….

영국의 웰링턴 장군은 약탈자는 무조건 총살하라는 명령을 내렸다. 그럼에도 불구하고 전사자들은 약탈을 당했다.

그날 밤, 한 사내가 작업복을 입고 전쟁터를 돌아다녔다. 그는 영국인도 아니고 프랑스 인도 아니고 농부도 아니고 병사도 아니었다. 오직 시체의 냄새를 맡고 도둑질을 하러 온 자였다.

갑자기 사내가 걸음을 멈추었다. 시체 사이로 쑥 올라와 있는 손에서 무엇인가 반짝거렸다. 금반지였다.

사내는 얼른 몸을 구부려 반지를 빼냈다. 그런데 허리를 막 펴려는 순간, 반지를 끼었던 손이 사내의 옷자락을 움켜쥐었다. 보통 사람이라면 질겁을 했을 것이다. 그러나 그는 소리를 내어 웃었다.

"난 또 뭐라고. 시체로군. 헌병보다야 귀신이 낫지."

그러는 동안에 그 손은 힘이 빠져 그의 옷자락을 놓았다.

"아직 살아 있나?"

그는 다시 몸을 구부려 시체 더미를 헤치고 손의 주인을 끌어 냈다. 기병 장교였는데, 상당히 계급이 높았다. 얼굴에 심하게 칼에 찔린 상처가 있었지만, 요행히 죽지는 않은 것 같았다.

옷에는 레지옹 도뇌르 훈장이 달려 있었다. 사내는 그 훈장을 떼어 외투 밑에 감춰진 주머니에 넣었다. 그리고 장교의 주머니를 뒤져 시계와 지갑을 꺼냈다.

"고맙소."

사내가 한창 작업을 하고 있을 때, 그 장교가 꺼져 가는 목소리로 말했다. 밤의 시원한 공기와 사내의 왁살스러운 손놀림이 그를 혼수 상태에서 깨어나게 했던 것이다.

"어느 쪽이 이겼소?"

"영국군이오."

사내가 짤막하게 대답했다.

장교가 다시 말했다.

"내 주머니를 뒤져 보시오. 시계와 지갑이 있을 거요. 그걸 가지시오."

사내는 시키는 대로 하는 체했다.

"아무것도 없소."

"누가 훔쳐 갔나 보군. 유감이오, 당신에게 주고 싶었는데."

그 때, 순시병이 다가오는 발소리가 들렸다.

"누가 오는 모양이오."

사내는 도망칠 태세를 취하면서 말했다.

장교는 간신히 한 팔을 들어 사내를 붙잡았다.

"당신은 내 목숨을 구해 주었소. 이름이 뭐요?"

"난 당신과 같은 프랑스 군이오. 이만 가 봐야겠소. 영국군에 붙잡히면 총살이니까. 뒷일은 알아서 하시오."

"계급은?"

"상사입니다."

"이름은?"

"테나르디에입니다."

"잊지 않겠네. 자네도 내 이름을 기억해 두게나. 퐁메르시일세."

장교가 말했다.

다음 날 아침, 테나르디에는 23프랑이라는 액수가 적힌 계산서를 써 놓고 미소를 지었다.

"23프랑이나! 너무 많지 않아요?"

그의 아내가 말했다.

"코제트에게 40프랑짜리 인형을 사 준 작자가 아닌가? 이 정도는 받아 내도 돼."

"안 내려고 하면 어떡해요?"

"낼 거야."

테나르디에는 아내에게 계산서를 건네주었다.

장발장은 아침 일찍 일어나 아래층에 내려와 있었다. 손에 지팡이와 보퉁이를 들고 있었다.

"벌써 떠나시려고요?"

"네, 지금 떠나야겠습니다. 얼마지요?"

테나르디에의 아내는 그에게 계산서를 내밀었다.

장발장은 계산서를 펼쳐보았으나, 뭔가 다른 생각을 하고 있는 것 같았다.

"몽페르메유는 경기가 좋습니까?"

장발장이 물었다.

"경기요? 여간 어렵지 않아요. 때때로 손님 같은 부자들이 오시지 않는다면 문을 닫아야 할 형편이랍니다. 게다가 우리는 군식구까지 있어서 보통 힘든 게 아니랍니다."

"군식구요?"

"아, 어제 저녁의 그 계집애 말씀이에요. 코제트라고. 어떤 여자가 버리고 간 계집애인데, 불쌍해서 길러 놓았더니 뒤치다꺼리에 점점 돈이 많이 들지 않겠어요? 누가 데려가기나 했으면 좋겠어요."

"그럼 그 애를 내가 데려갈까요?"

장발장은 기다렸다는 듯 말했다.

"그게 정말이세요? 이렇게 고마울 데가!"

테나르디에의 아내 얼굴이 기쁨으로 확 밝아졌다.

"지금 곧 데려가겠습니다. 아이를 불러 주시오. 참, 계산부터 할까요?"

장발장은 그제야 계산서를 들여다보고 놀라움을 금치 못했다.

"23프랑!"

"네, 손님!"

테나르디에의 아내는 뻔뻔스럽게 대꾸했다.

그 때, 테나르디에가 안에서 나오며 말했다.

"손님의 숙박비는 26수면 충분해."

남편의 뜻하지 않은 행동에 아내는 깜짝 놀랐다.

"코제트에 대해서 이 손님과 잠깐 의논할 일이 있어. 당신은 좀 나가 있지."

테나르디에가 냉정한 목소리로 말했다.

두 사람만 남게 되자, 테나르디에는 장발장에게 의자를 권했다. 장발장은 자리에 앉았다.

"사실 우리는 코제트를 무척 귀여워했습니다. 키우면서 돈도 많이 들었지요. 그런 아이를 설마 그냥 데려가시려는 건 아니겠지요?"

"양육비를 달라는 겁니까? 얼마면 되겠소?"

"1천5백 프랑은 받아야겠습니다."

테나르디에의 말에 장발장은 두말없이 1천5백 프랑을 내주었다.

그것을 보고 테나르디에의 아내는 코제트를 그냥 내보내려 했던 어리석음을 부끄러워하면서 남편의 수단에 탄복하는 표정이 되었다.

"이제 아이를 데려오시오."

테나르디에의 아내가 코제트를 데려왔다.

"얘야, 나와 함께 가지 않겠니?"

장발장이 묻자, 코제트는 잠자코 고개를 끄덕였다.

장발장은 가지고 온 보퉁이를 끌렀다. 보퉁이 안에는 여자아이의 옷과 양말, 구두 등이 들어 있었다. 그런데 모두 검은색이었다.

"어서 갈아입어라."

얼마 후, 상복 차림의 코제트는 가슴에 인형을 안은 채 장발장을 따라 나섰다.

"입힐 옷을 미리 준비해 온 걸 보니, 저자는 처음부터 코제트를 데려갈 작정으로 왔던 거야. 그런 늙은이라면 5천 프랑을 요구해도 주었을 텐데……. 음, 안 되겠다."

테나르디에는 이렇게 중얼거리며 밖으로 뛰어나갔다.

그는 단숨에 숲길까지 달려가 두 사람 앞에 불쑥 나타났다.

"죄송합니다. 여기 1천5백 프랑을 가지고 왔습니다."

"무슨 뜻이오?"

"코제트를 돌려주십시오."

테나르디에가 정중하게 말했다.

"지금 와서 왜 딴소리를 하는 거요?"

"가만히 생각해 보니, 사실 제게는 이 아이를 손님께 내드릴 권리가 없습니다. 혹시 나중에 이 아이의 어머니가 찾아오면 내 입장이 곤란해지지 않겠습니까?"

그러자 장발장은 주머니에서 종이 한 장을 꺼냈다.

'이분에게 코제트를 보내 주세요…….'라는 내용이 적힌 팡틴의 편지였다.

"자, 이걸 받으시오. 이걸 갖고 있으면 아이를 내주었다고 당신을 탓할 사람은 아무도 없을 테니까."

그것을 본 테나르디에는 머리를 긁적거렸다. 그러나 순순히 물러설 수는 없었다.

"여기에는 여러 가지 비용을 모두 지불하겠다고 적혀 있군요. 그렇다면 내가 손님께 돈을 더 청구할 권리가 있지 않습니까?"

"테나르디에 씨, 지난번에 나는 당신이 청구한 양육비보다 훨씬 많은 돈을 보냈소. 그리고 오늘 또 1천5백 프랑이나 주었소. 그런데 더 내놓으라는 거요?"

"어쨌든 난 코제트를 보낼 수 없습니다. 데려가려거든 3천 프랑을 내놓으시오."

장발장은 대꾸 없이 돌아섰다.

"가자, 코제트."

테나르디에는 강제로라도 돈을 더 받아 내고 싶었지만, 장발장의 넓은 어깨와 커다란 주먹이 두려웠다. 더구나 상대방은 몽둥이로 사용할 수 있는 지팡이까지 들고 있었다.

"제기랄, 난 정말 바보야. 엽총을 갖고 왔더라면 지갑의 돈을 모두 빼앗을 수 있었을 텐데……."

멀리 사라지는 두 사람을 보며 테나르디에가 중얼거렸다.

아버지와 딸

장발장과 코제트는 파리의 변두리, 비뉴 생 마르셀이라는 거리에 있는 고르보 저택의 이층에 세를 들었다. 전에는 훌륭한 건물이었으나 이제는 아무도 살지 않아 폐가가 되어 버린 곳이었다.

장발장과 코제트가 오기 전에는 이층에 있는 여러 개의 방 가운데 하나만 주인 노파가 쓰고 모두 비어 있었다.

고르보 저택에서 하룻밤을 지낸 후, 코제트는 장발장에게 여러 가지 궁금한 것을 물었다.

"여긴 어디예요?"

"파리란다."

"테나르디에 아주머니가 있는 몽페르메유에서 멀리 떨어져 있나요?"

"별로 멀지 않아."

"이젠 여관에 돌아가지 않아도 괜찮아요?"

"그래, 여관 주인과는 영원히 만나지 않아도 돼."

코제트는 기뻐했다.

그러다가 느닷없이 소리쳤다.

"어머, 여기는 정말 아름다워요!"

사실은 형편없이 헐어빠진 집이었지만, 코제트는 거기서 자신이 자유롭다는 것을 느꼈던 모양이다.

그러나 아무 걱정 없이 살 수 있다는 사실이 믿어지지 않는지, 집안 청소를 할까 물어 보기도 했다.

"몽페르메유에서 살았던 일은 모두 잊어버려라. 이제는 실컷 놀아도 된다."

장발장은 코제트의 얼어터진 작은 손에다 입을 맞추며 말했다.

장발장은 쉰다섯 살이고, 코제트는 여덟 살이었다. 마치 할아버지와 손녀 같았지만, 몇 주일이 지나자 코제트는 자연스럽게 장발장을 아버지라고 불렀다.

코제트는 차츰 웃는 일이 많아졌다. 장난을 치기도 하고, 곧잘 흥얼거리며 노래도 불렀다. 장발장은 코제트에게 글읽기를 가르쳤다. 그러나 그 시간을 빼놓고는 거의 온종일 코제트가 웃고 재잘거리고 인형에게 옷을 입혔다 벗겼다 하는 것을 보며 지냈다.

장발장은 밝은 대낮에는 거의 밖에 나가지 않았다. 그러다가 해가 질 무렵 사람들이 잘 다니지 않는 가로수길을 한두 시간 산책하고, 어두워지면 근처의 성당에 나가는 것이 고작이었다.

남의 일에 호기심이 많은 주인 노파는, 장발장이 나가고 없을 때 코제트에게 이것저것 물어 보았다. 그러나 코제트는 별로 아는 것이 없었으므로, 노파가 들을 수 있었던 분명한 대답은 몽페르메유에서 왔다는 정도였다.

노파는 일도 하지 않고 사람들도 만나지 않는 장발장을 이상하게 생각했다. 방을 얻을 때 장발장은 노파에게 자기는 연금으로 사는 사람인데, 재산을 많이 잃었기 때문에 허름한 집에 오게 되었다고 말했었다. 그는 낡은 프록코트 차림으로 다니고, 돈도 잘 쓰는 편이 못 되었지만, 그렇게 형편이 나쁜 것 같지는 않았다.

노파는 그가 어떤 사람인지 알고 싶어 안달이 날 지경이었다. 그래서 어느 날 문틈으로 그의 거동을 훔쳐보았다.

그 때 장발장은 프록코트의 안감을 뜯고 그 속에서 1천 프랑짜리 지폐를 꺼냈다. 그것을 본 노파는 까무러칠 듯 놀랐다. 평생 1천 프랑짜리 지폐를 두어 번 구경한 노파로서는 그럴 만도 했다.

잠시 후, 장발장이 노파에게 와서 1천 프랑짜리를 잔돈으로 바꿔다 달라고 부탁했다.

장발장은 그 돈이 전날 은행에서 찾아온 6개월분의 연금이라고 말했는데, 그 말이 더 의심을 갖게 했다. 노파는 그가 전날 오후 여섯 시에 외출한 것을 알고 있었다.

'그런 시간에 은행 문이 열려 있을 리 없는데…….'

며칠 지난 어느 날, 장발장은 복도에서 톱으로 장작을 자르고 있었고 노파는 방 안에서 청소를 하고 있었다. 코제트는 톱질하는 것을 구경하는 데 정신이 팔려 있었으므로, 노파는 못에 걸린 장발장의 프록코트를 더듬어 보았다. 옷자락과 소매 겨드랑이 속에서 두툼한 종이의 부피가 느껴졌다.

'이게 다 1천 프랑짜린가?'

노파는 소름이 쫙 끼쳤다.

그 밖에도 그의 프록코트 주머니에는 별의별 것이 다 들어 있었다. 바늘과 실을 비롯하여 지갑, 칼, 가위 따위가 들어 있었는데, 무엇보다도 수상쩍은 것은 온갖 색깔의 가발이었다.

장발장이 다니는 생 메다르 성당 앞에 거지가 있었다. 그는 언제나 성당 앞 가로등 아래 있는 벤치에 쭈그리고 앉아 기도문을 쉴새없이 중얼거렸다. 그는 일흔다섯 살이나 되는 노인으로, 전에 성당지기 노릇을 하다 그만둔 후 구걸을 하며 살아가고 있었다.

장발장은 성당 앞을 지나갈 때면 반드시 그에게 돈을 주었다. 때로는 말을 건네는 수도 있었다. 그래서 그 거지도 가장 돈을 잘 주는 장발장을 잘 알게 되었다.

어느 날 밤, 장발장이 성당 앞에 이르렀을 때였다. 그 거지는 여느 날과 마찬가지로 가로등 밑에 고개를 수그린 자세로 앉아 있었다.

장발장은 평소처럼 그의 손에 돈을 놓아 주었다. 그 순간, 그가 갑자기 고개를 들었다. 장발장은 온몸에 소름이 끼쳤다.

'아니!'

그는 성당지기를 지낸 일흔다섯 살의 노인이 아니라 바로 자베르였던 것이다.

장발장은 자기도 모르게 서너 걸음 물러선 채 거의 숨도 못 쉴 상태가 되어 꼿꼿이 서 있었다. 그러나 거지는 여느 때와 같은 누더기 차림 그대로였고, 구걸하는 일에 익숙한 듯 다소곳이 고개를 숙이고 있었다.

'난 머리가 어떻게 된 모양이야. 아니면 꿈을 꾸고 있는 걸까? 있을 수 없는 일이야!'

장발장은 자기 눈을 의심하며 몹시 심란한 마음으로 집에 돌아왔다.

다음 날 해질 무렵, 장발장은 용기를 내어 다시 성당 앞으로 가 보았다. 거지는 여느 때의 그 자리에 있었다.

"여어, 노인."

장발장은 1수짜리 동전을 주면서 태연하게 말을 붙였다.

"고맙습니다, 친절하신 나리,"

그 사람은 틀림없는 성당지기 노인이었다.

'그러면 그렇지. 나도 눈에 안개가 끼기 시작한 모양이야!'

장발장은 비로소 안심을 하고 그 일을 잊었다.

그로부터 며칠 후, 밤 여덟 시쯤이었다.

장발장이 코제트에게 글을 가르치고 있을 때, 현관문이 열렸다가 닫히는 소리가 났다.

주인 노파는 초를 아끼기 위해 밤만 되면 자는 것이 버릇이었다. 그렇다면 현관으로 들어온 사람은 노파가 아닌 다른 누구라는 이야기가 되는 것이다.

장발장은 코제트에게 잠자코 있으라고 손짓을 한 다음, 바깥쪽에 귀를 기울였다. 계단을 올라오는 발소리가 들렸다. 그것은 남자의 발소리였다.

"조용히 침대로 들어가거라."

장발장은 코제트에게 소리를 죽여 말한 다음, 방 안의 촛불을 껐다.

발소리는 뚝 그쳤다. 장발장은 어둠 속에서 의자에 앉아 꼼짝도 하지 않았다. 몇 분 동안 아무 소리도 들리지 않았다. 그는 문 쪽을 등지고 앉아 있었다.

장발장이 소리 나지 않게 가만히 돌아본 순간, 열쇠 구멍으로 불빛이 새어들어 왔다. 누군가 그 곳에 촛불을 든 채 서서 귀를 기울이고 있는 것이 분명했다.

몇 분이 지났다. 불빛은 사라졌다. 그런데 발소리가 전혀 들리지 않았던 것으로 미루어 볼 때, 문 밖의 사나이는 구두를 벗고 어디론가 사라진 모양이었다.

장발장은 옷을 입은 채 침대에 누웠으나, 밤새도록 한잠도 자지 못했다.

새벽녘에야 어렴풋이 잠이 들었다가, 복도 끝에 있는 다락방 근처의 문이 삐거덕거리며 열리는 소리를 듣고 벌떡 일어났다.

복도를 걸어오는 발소리가 들렸다. 지난밤에 계단을 올라오던 소리와 똑같았다. 장발장은 열쇠 구멍으로 밖을 내다보았다. 복도는 아직 어두웠다. 바깥의 사나이가 계단 있는 곳까지 이르렀을 때, 한 줄기 빛이 그의 검은 모습을 드러내 주었다.

그러나 뒷모습밖에는 볼 수가 없었다. 큰 키에 긴 프록코트를 입고, 옆구리에 굵은 지팡이를 끼고 있었다. 아, 그 사나이는 바로 자베르였다.

아침 일곱 시에 주인 노파가 방청소를 하러 왔다.

"선생님도 간밤에 누가 집에 들어오는 소리를 들으셨지요?"

청소를 하면서 노파가 말했다.

"그러고 보니 들은 것도 같군요. 누구였습니까?"

장발장은 될 수 있는 대로 자연스럽게 물었다.

"이 집에 새로 세든 사람이랍니다."

"이름이 뭔가요?"

"확실히 기억은 안 나지만, 뒤몽이라든가 도몽이라든가……. 아무튼 선생님처럼 연금을 받아 살아가는 사람이라고 하더군요."

대답을 하면서 노파는 족제비처럼 장발장의 표정을 살폈다.

노파가 방을 나간 뒤, 장발장은 서랍 속에 있던 돈을 주머니에 넣고, 몇 가지 물건을 챙겼다. 그러나 서두르지는 않고 저녁때까지 기다렸다.

어둑어둑해지자, 장발장은 아래로 내려가 바깥 길을 살폈다. 길에는 아무도 없었다.

그는 다시 이층 방으로 올라갔다.

"이리 오너라."

코제트는 잠자코 따라 나섰다.

장발장은 코제트의 손을 잡고 밖으로 나왔다.

장발장은 곧 오피탈 거리를 떠나 좁은 골목길로 숨어들었다. 골목에서는 몇 차례 방향을 바꾸고 가끔 뒤도 돌아보았다. 따라오는 자는 없었다.

보름달이 밝게 비치는 밤이었다. 그러나 아직 달은 지평선 가까이 낮게 떠 있었으므로, 담장의 그늘진 쪽을 따라 걸으면 눈에 안 띄었다.

코제트는 아무것도 묻지 않았다. 테나르디에의 여관에서 갖은 학대를 받으며 자란 탓으로 불안할 때는 그저 시키는 대로 따르는 버릇이 몸에 배어 있었다. 게다가 코제트는 그와 함께 있으면 안전하다는 믿음을 갖고 있었다.

장발장도 코제트와 마찬가지로 자기가 어디로 가고 있는지 몰랐다. 그러나 노파의 낡은 저택으로 돌아가지 않는다는 것만은 확실했다.

수녀원의 포슐르방 영감

생 테티엔 뒤몽 성당의 종이 11시를 칠 무렵, 장발장과 코제트는 퐁투아즈 거리의 경찰서 앞을 지나가고 있었다. 장발장은 본능적으로 뒤를 돌아보았다. 그는 쫓기고 있음을 알았다.

경찰서 외등에 비친 서너 명의 사나이들의 걷는 방향으로 보아 그의 뒤를 밟고 있는 것이 분명했다.

"빨리 가자."

장발장은 코제트의 손을 꼭 잡고 중학교 건물이 있는 네거리 쪽으로 갔다. 달빛이 네거리를 환히 비추고 있었다. 그는 모퉁이에 숨어서 잠시 기다렸다.

과연 사나이들은 3분도 채 못 되어 네거리에 나타났다. 그들은 네거리 한복판에 모여 무엇인가를 상의했다. 그러다가 지휘자인 듯한 사나이가 장발장이 숨은 방향을 가리켰다. 그의 얼굴이 달빛에 또렷이 드러났다. 그는 분명히 자베르였다.

사나이들이 네거리에서 의견을 모으느라고 늦어지는 틈을 타서 걸음을 빨리 했다. 강변 쪽으로 가니, 마침 센 강을 건너는 짐마차 한 대가 있었다. 장발장은 사나이들이 오는 쪽에서 보이지 않도록 짐마차 옆에 붙어서 아우스테를리츠 다리를 건넜다.

이윽고 목재를 쌓아 두는 터가 나타났다. 그 너머에는 어둠침침한 길이 이어지고 있었다. 그 길에 이르렀을 때, 사나이들이 다리를 건너오는 모습이 보였다.

장발장은 걷기에 지친 코제트를 안고 얼마쯤 가다가 갈림길에 이르렀다. 왼쪽 길은 사람들이 많이 사는 곳으로 통해 있었고, 오른쪽은 변두리로 이어지는 길이었다.

그는 망설이지 않고 오른쪽 길로 들어섰다. 코제트는 그의 어깨에 머리를 기댄 채 한 마디도 하지 않았다.

어느 모퉁이에 이르러 뒤를 돌아보니, 어둠 속에서 움직이는 그림자가 보였다. 장발장은 달리기 시작했다. 사나이들은 생각했던 것보다 빨리 다가와 있었다.

그는 계속 뛰어 다시 갈림길에 이르렀다. 오른쪽은 크고 하얀 담장으로 막혀 있었고, 왼쪽은 틔어 있었다. 그는 왼쪽 길로 뛰어갔다. 아무래도 골목길은 마음이 안 놓여 큰길로 나가야 할 것 같았다. 그런데 큰길로 나가는 모퉁이에 누군가 서 있는 것이 보였다. 자베르나 그의 부하일 것이다.

앞으로 가든 뒤로 가든 자베르가 쳐 놓은 그물에 걸리게 되어 있었다. 장발장은 절망적인 기분으로 담장에 바싹 붙어 하늘을 쳐다보았다. 시간은 흐르고 있었다.

큰길로 나가는 길모퉁이에 6, 7명의 병사가 총검을 번쩍이고 있었다. 자베르가 순찰병까지 불러온 것이다. 그들은 지휘자의 명령에 따라 담장의 구석진 곳과 문기둥 안쪽을 뒤지며 골목으로 들어오고 있었다. 그들과는 고작 15분 거리였다. 그 안에 무슨 수를 쓰지 않으면 안 되었다.

장발장은 주위를 살펴보았다. 담장 안으로 낡은 건물이 보였다. 만약 그 건물로 숨어든다면 살 수 있을 것이다. 장발장 혼자라면 담장을 기어오르는 것쯤은 문제가 아니었다. 사다리나 밧줄 없이도 7층까지 오를 수 있었다. 그러나 지금은 코제트 때문에 곤란했다.

'어디 줄 같은 게 없을까?'

문득 가로등의 등을 올리고 내리는 줄이 생각났다. 장발장은 재빨리 뛰어가 불 꺼진 가로등에서 줄을 끊어 가지고 왔다.

그리고 넥타이를 풀어 코제트의 허리에 단단히 매고 거기에 줄을 연

결했다.

"아버지, 무서워요. 저기 보이는 사람들은 누구예요?"

코제트가 낮은 목소리로 물었다.

"쉿! 절대로 소리치거나 울면 안 돼. 테나르디에 아주머니가 오고 있어."

그 말에 코제트는 입을 꽉 다물고 몸을 떨었다.

장발장은 단단히 주의를 준 후, 기다란 줄의 한쪽 끝을 입에 문 채 먼저 담장으로 기어올라갔다. 거뜬히 담장 위에 올라가서는 줄을 잡아당겨 코제트를 끌어당겼다. 코제트는 등을 담장에 바싹 붙인 채 끌려올라왔다. 성공이었다.

장발장이 담장 위를 기어 지붕의 경사면에 이르렀을 때, 갑자기 시끄러운 소리가 들려왔다. 순찰병들이 도착한 것이다.

"놈은 이 골목 안에 있다! 샅샅이 찾아봐!"

장발장은 코제트를 업은 채 지붕에서 미끄러져 내려, 보리수나무를 붙잡고 땅으로 뛰어내렸다.

'여기가 어디지?'

장발장이 서 있는 곳은 앞이 탁 트인 정원 같았다. 그가 지붕을 타고 내려온 건물 외에 헛간처럼 생긴 오두막집이 보였고, 한쪽에는 장작더미가 쌓여 있었다.

담장 밖에서는 순찰병들의 시끄러운 소리에 섞여 자베르의 호통치는 소리가 들려왔다.

장발장은 코제트의 입을 막고 있었다. 가엾은 코제트는 그에게 꼭 달라붙은 채 떨고 있었다.

15분 가량 지났을 때, 담장 밖의 소란스러운 소리가 점점 멀어져 가기 시작했다. 그러자 주위는 이상할 정도로 고요해졌는데, 그런 가운데 갑자기 찬송가 소리가 들려왔다. 그 소리는 이 세상의 것으로 여겨지지 않을 만큼 숭고한 느낌을 주었다. 여자들의 목소리였다. 그 노랫소리는 정원에 우뚝 솟아 있는 검은 건물에서 흘러나오고 있었다.

장발장은 코제트와 함께 찬송가가 끝날 때까지 무릎을 꿇고 있었다.

노래가 끝나고 다시 주위가 고요해졌다. 장발장은 코제트를 데리고 오두막집 쪽으로 다가갔다.

오두막집에는 서너 개의 방이 있었는데, 그 중에 헛간이 하나 있었다. 두 사람은 그 헛간 속으로 들어갔다.

바람이 불기 시작했다. 어림잡아 새벽 한 시쯤 된 듯싶었다.

장발장은 코제트가 자기 어깨에 머리를 기대고 있었기 때문에 잠든 것으로 생각하고는 코제트의 얼굴을 들여다보았다. 하지만 코제트는 눈을 크게 뜨고 무슨 생각에 잠겨 있는 듯했다.

"잠이 안 오는 모양이구나."

"굉장히 추워요."

장발장은 프록코트를 벗어서 코제트를 감싸 주었다.

"이제 조금 따뜻해졌지?"

"네."

"그럼 잠깐만 기다려라. 내 얼른 다녀오마."

장발장은 코제트를 헛간에 남겨 두고 밖으로 나와 검은 건물 쪽으로 갔다.

문은 몇 개나 있었지만 모두 잠겨 있었다. 아래층 창문에는 철망이 씌워져 있었다.

장발장은 발뒤꿈치를 들고 창문을 통해 안을 들여다보았다. 희미한 불빛 아래 수많은 사람들이 팔을 열십자로 벌리고 죽은 듯이 엎어져 있었다.

그 사람들이 죽었을지도 모른다고 생각하니 등골이 오싹해져 왔으나, 살아 있을지도 모른다고 생각하는 것은 더욱 무서운 일이었다.

갑자기 장발장은 뭐라고 말할 수 없는 무서움에 사로잡혀 달아나 헛간으로 돌아왔다.

그 동안에 코제트는 잠이 들어 있었다. 그 얼굴을 들여다보고 있는 사이에 점점 마음이 가라앉았다.

그런데 그 때 정원 쪽에서 이상한 소리가 들렸다. 가만히 귀를 기울였다. 그것은 방울 소리 같았다.

장발장은 소리 나는 쪽을 잘 살펴보았다. 어둠 속에서 어렴풋이 사람의 형체가 나타났다. 남자였다. 방울 소리는 그에게서 나는 것이었다.

그는 채소밭에서 일을 하는 것 같았다. 그가 움직일 때마다 방울 소리가 났다. 이상했다. 한밤중에 일하는 것도 그렇지만, 사람이 소나 고양이처럼 방울을 달고 있다는 것도 이해할 수가 없었다.

'소나 고양이처럼 방울을 달고 있는 저 사나이는 대체 누굴까?'

그런 생각을 하며 코제트의 손을 만져 본 장발장은 깜짝 놀랐다. 얼음장같이 차가웠다.

"코제트!"

대답이 없었다.

아무리 흔들어 깨워도 코제트는 축 늘어진 채 움직이지 않았다.

당황한 장발장은 귀를 대고 숨소리를 들어 보았다. 숨은 쉬고 있었으나, 거의 꺼져 가는 듯했다. 자칫 잘못하면 목숨을 잃을지도 모르는 상태였다.

장발장은 성큼성큼 채소밭에 있는 사나이 쪽으로 다가갔다.

"오늘 밤 재워 주신다면 백 프랑 드리겠소!"

장발장이 불쑥 말하자, 사나이는 깜짝 놀라 뒤로 물러섰다. 달빛이 장발장의 얼굴을 환히 비추었다.

"아니, 마들렌 씨 아닙니까!"

이번에는 장발장이 뒷걸음질을 쳤다.

대체 누군데 마들렌이라는 이름을 알고 있는 것일까?

달빛에 드러난 얼굴을 보니 그는 노인이었다.

노인이 떨리는 목소리로 다시 말했다.

"마들렌 씨, 대체 어떻게 된 일입니까? 옷차림은 그게 뭐고요?"

노인은 다름 아닌 포슐르방 영감이었다.

"아, 당신이었구려!"

장발장도 비로소 노인을 알아보았다. 몽트뢰유 쉬르 메르에서 짐마차 밑에 깔려 죽을 뻔했던 포슐르방 영감이었던 것이다.

포슐르방 영감은 굽은 허리에 다리를 절고 있었는데, 무릎에 방울을 달고 있었다.

"여기서 뭘 하는 거요?"

"당신 덕분에 이 수녀원의 정원지기가 되지 않았습니까? 밤에 서리가 내릴 것 같아 채소에 덮개를 씌우고 있었던 참입니다."

"그럼 여기가 프티 픽퓌스 수녀원이란 말이오?"

"그렇습니다."

장발장은 조금 전 들여다본 건물 안의 광경이 생각났다.

"그런데 방울은 왜 달고 있는 거요?"

"여기에는 젊은 수녀들만 있습니다. 저는 수녀원장의 명령에 따라 방울을 달고 다녀야 하는데, 수녀들은 방울 소리가 나는 곳에는 얼씬도 못하게 되어 있습니다."

장발장은 말없이 고개를 끄덕였다.

"여긴 어떻게 들어오셨습니까? 남자는 들어올 수 없는 곳인데?"

"좀 도와주시오. 나는 지금 쫓기는 몸이오."

"당신의 은혜를 갚을 수 있게 되다니, 세상에 이런 일이! 어서 말씀해 보세요. 제가 어떻게 도와 드리면 되겠습니까?"

포슐르방 영감은 감격에 찬 목소리로 말했다.

"나를 좀 숨겨 주시오. 그리고 아무에게도 말을 해 서는 안 되며, 당신도 나에 대해 알려고 하지 마시오."

"좋습니다. 당신은 결코 나쁜 짓을 할 분이 아닌 줄 잘 알고 있으니까요."

"고맙소. 그러면 저쪽으로 갑시다. 아이가 얼어 죽게 되었소."

"네? 아이가 있다고요?"

포슐르방 노인은 방울 소리를 내며 장발장의 뒤를 따라왔다.

장발장이 담장을 넘어 들어왔을 때 본 그 오두막집이 바로 포슐르방 노인의 거처였다. 코제트는 그 오두막집으로 옮겨져 몸을 회복할 수 있었다.

장발장과 코제트는 남의 눈에 띄지 않게 숨어 있어야 했다. 드나들 수 있는 남자라곤 대주교와 정원지기뿐인 수녀원이니, 사실이 알려지면 발칵 뒤집힐 판국이었다.

수녀원도 그에게는 안전한 곳이 못 되었다. 그러나 가장 안전한 곳이 될 수도 있었다. 포슐르방 영감처럼 일꾼으로 고용이 된다면, 아무도 찾아올 염려가 없는 곳에서 그는 편안히 지낼 수 있는 것이다.

"일을 하시겠다면, 제가 한번 힘을 써 보겠습니다."

포슐르방 영감이 말했다.

"꼭 좀 그렇게 해 주시오."

"그러려면 먼저 여기서 나가셔야 합니다."

"그건 무슨 소리요?"

"정문을 통과하지 않은 남자가 수녀원 안에 있었다면 놀랄 테니까요. 정원지기로 고용되는 것보다 여기서 나가는 일이 어렵습니다."

"으음!"

장발장은 신음 소리를 토했다.

다시 담장을 넘어 나갈 수는 있으나, 그것은 자베르의 품 안으로 뛰어드는 격이었다.

그렇다고 오두막집 안에서 언제까지나 숨어 지낼 형편도 못 되었다. 수녀들은 오두막집 가까이 오진 않지만, 수녀원에 딸린 기숙 학교 여학생들이 가끔 다가와서 호기심 어린 눈으로 기웃거린다는 것이었다.

그 때, 종소리가 났다.

"늙은 수녀 한 분이 위독했었는데, 아마 하느님 곁으로 가신 모양입니다."

장발장이 담장을 넘어 들어오던 밤, 수녀원에서는 많은 수녀들이 그 늙은 수녀의 회복을 위해 기도하고 있었다. 장발장이 들은 노래는 수녀들이 부른 찬송가 소리였다.

다시 종소리가 나자, 포슐르방 영감이 일어났다.

"이 종소리는 저를 부르는 것입니다. 시체를 넣은 관에 못질을 해야 하거든요."

얼마 후에 돌아온 포슐르방 영감은 다른 일거리가 생겼다고 말했다.

"원장님이 제게 은밀한 일을 시켰어요."

이 수녀원에서는 예로부터 유명한 수녀를 제단 밑에 묻는 일이 가끔 있었는데, 근래에 와서 위생상 좋지 않다는 이유로 경찰에서 허가를 해주지 않았다. 그런데 이번에 죽은 수녀는 성당의 제단 밑에 묻어 달라는 유언을 남겼고, 수녀원장은 그 유언을 들어주기로 결정했다는 것이었다.

"의사의 검시가 끝나면 수녀들이 시체를 관에 넣게 됩니다. 그 다음에 제가 관에 못을 박는데, 그 때 시체를 몰래 꺼내어 제단 밑에 묻고 빈 관에 흙을 적당히 담아서 인부들에게 넘기라는 분부였습니다. 이 일만 무사히 해내면, 제 부탁을 들어주겠다고 했습니다."

"부탁?"

"원장님께 제 동생을 정원지기로 함께 일하게 해 달라고 부탁했거든요."

말할 것도 없이 포슐르방 영감이 동생이라고 한 사람은 장발장이었다.

남은 문제는 수녀원을 무사히 빠져 나가는 것이었다. 코제트를 밖으로 데리고 나가는 것은 포슐르방 영감이 맡기로 했다. 그가 늘 짊어지고 다니는 망태기 속에 코제트를 넣어 밖으로 나갈 수가 있는데, 나가서는 그가 잘 아는 과일장수 노파에게 맡겨 두면 된다는 것이었다.

장발장은 다소 모험적인 계획을 세웠다. 죽은 수녀의 시체를 꺼낸 관에 흙을 채우는 대신, 그 자신이 들어간다는 것이었다. 그것은 교도소에서 죄수들이 흔히 쓰는 방법이었다.

장발장은 포슐르방 영감과 함께 관이 있는 지하실로 내려갔다.

수녀의 시체는 관 속에 들어 있었으며, 꽃으로 장식되어 있었다. 시체를 은밀한 장소에 숨기는 것은 포슐르방 노인의 임무였으므로 지하실에는 두 사람밖에 없었다.

두 사람은 함께 지하실 바닥의 돌을 들어냈다. 큰 구덩이가 있었다. 그들은 수녀의 시체를 다른 관에 넣어 그 구덩이에다 묻은 다음, 바닥의 돌을 다시 덮었다. 수녀의 시체가 있던 관에는 장발장이 들어가 누웠다. 포슐르방 영감이 관에 못질을 했다. 관에는 장발장이 숨을 쉴 수 있도록 작은 구멍이 뚫렸다.

이윽고 엄숙한 장례식이 치러진 다음, 관은 말 네 마리가 끄는 마차에 실려 묘지로 옮겨졌다.

포슐르방 영감은 코제트를 수녀원 밖 과일장수 노파에게 맡겨 놓고 묘지로 갔다.

해질 무렵, 묘지에는 따라왔던 사람들이 거의 돌아가고 매장을 맡은 젊은 인부와 포슐르방 영감만 남았다.

관은 이미 구덩이에 내려져 있었다. 포슐르방 영감은 젊은 인부가 흙을 퍼서 구덩이에 던지는 틈을 타서 그의 주머니에서 감찰패를 빼냈다.

젊은 인부가 구덩이에 서너 차례 흙을 퍼넣었을 때, 포슐르방 영감이 물었다.

"해가 떨어지려고 하는군. 자네, 감찰패는 갖고 있겠지?"

"물론이지요."

젊은 인부는 대답을 하고 나서 주머니에 손을 넣었다.

"어!"

그는 반대편 주머니, 바지 주머니 등 주머니란 주머니는 다 뒤집어 보았다.

"왜 그러나?"

"이상하네. 집에 두고 왔나……."

"감찰패가 없으면 15프랑을 내야 하는데."

포슐르방 노인은 시치미를 떼고 말했다.

"15프랑이나!"

가난한 인부에게 벌금 15프랑은 큰돈이었다.

젊은 인부는 집에 가서 감찰패를 가져오겠다면서 내려갔다.

그의 모습이 사라지자, 포슐르방 영감은 관 위의 흙을 재빨리 걷어

냈다.

"마들렌 씨!"

아무 대답이 없었다.

포슐르방 영감은 미리 준비해 온 연장으로 관 뚜껑을 열었다. 어둠 속에서 희미하게 얼굴이 드러났는데, 눈을 감은 채 꼼짝도 하지 않았다.

"아, 결국 돌아가셨구나!"

포슐르방 영감은 온몸을 떨며 눈물을 흘렸다.

그러다가 아래를 내려다보니, 장발장이 눈을 뜨고 있었다.

"내가 깜빡 잠이 들었던 모양이오."

장발장이 부스스 몸을 일으키며 말했다.

포슐르방 영감은 그 앞에 쓰러지듯 무릎을 꿇었다.

"고맙습니다, 마들렌 씨! 전 당신이 돌아가신 줄 알았습니다. 세상에,

이렇게 고마울 수가!"

"좀 춥군요."

장발장이 말했다.

그 말에 포슐르방 영감은 정신을 차렸다.

"자, 한 모금 마시고 어서 나가십시다."

포슐르방 영감은 준비해 온 술병을 꺼냈다.

두 사람은 함께 술을 마시고 빈 관이 든 구덩이를 흙으로 메웠다.

그런 다음, 천천히 묘지 입구 쪽으로 걸어나왔다.

철문 앞에 이르자, 포슐르방 영감은 젊은 인부의 감찰패를 문지기의 상자 안으로 던져 넣었다. 그러자 문지기가 문을 열어 주었다.

포슐르방 영감은 젊은 인부의 집에 들러 곡괭이와 삽을 주며 말했다.

"내일 아침 묘지 문지기에게 가 보게. 거기 자네 감찰패가 있을 거야."

"아니, 거기 있었습니까? 그러잖아도 여태 찾고 있었는데……."

"아마 삽질을 하다 떨어뜨린 모양이야. 자네가 간 다음에 보니 있더군. 뒷일은 내가 다 하고 왔으니 염려 말게."

그로부터 한 시간 후, 장발장과 포슐르방 영감, 코제트는 수녀원 원장의 응접실로 갔다. 원장은 묵주를 매만지며 그들이 오기를 기다리고 있었다.

"당신이 포슐르방 영감님의 동생인가요?"

원장이 장발장에게 물었다.

"그렇습니다, 원장님."

포슐르방 영감이 대신 대답했다.

원장은 나이와 직업, 그리고 기독교인인지 물었다. 나이는 쉰 살, 직업은 정원사, 온 집안이 하느님을 믿는다고 포슐르방 노인이 대답했다.

코제트는 장발장의 손녀라고 했다.

"좋아요, 영감님. 방울 달린 무릎덮개를 하나 더 준비하세요."

원장이 말했다.

그렇게 해서 장발장은 수녀원의 정원지기가 되어, 포슐르방 영감의 오두막집에서 살게 되었다. 그는 수녀들 사이에 '또 한 사람의 포슐르방 영감님'으로 통했다.

코제트는 원장의 배려로 수녀원 안에 있는 기숙 학교에 들어갈 수 있었다.

원장은 날마다 장발장과 코제트가 한 시간씩 함께 있도록 배려해 주었다. 코제트는 정해진 시각에 어김없이 왔다. 코제트가 오는 순간 정원지기의 오두막은 낙원이 되었다.

그렇게 몇 년이 흘러갔다.

마리우스

1815년의 워털루 전쟁은 나폴레옹 대신 왕위에서 쫓겨났던 루이 18세를 다시 왕으로 맞아들이는 계기가 되었다.

그러나 그 후 프랑스는 왕에게 충성하는 왕당파와, 나폴레옹을 다시 황제로 추대하려는 공화파의 다툼으로 하루도 조용할 날이 없었다.

젊은이들은 주로 공화파였다. 그들은 곳곳에서 정부를 공격하는 연설을 하고, 비밀리에 혁명을 준비하고 있었다.

그런 가운데 루이 18세가 죽고, 그 뒤를 이어 샤를 10세, 루이 필립 왕이 왕위를 이었다. 왕당파냐 공화파냐 하는 것은 정치적인 대립만으로 끝나지 않고, 가까운 사람들까지도 갈라 놓는 원인이 되었다.

질노르망이라는 노인과 사위 조르주 퐁메르시의 경우가 그러했다.

퐁메르시는 나폴레옹 군의 기병대 장교로 워털루 전쟁에 참가했다가 큰 부상을 입고 돌아왔다. 나폴레옹은 그에게 남작의 작위와 함께 훈장을 주었다.

그러나 전쟁이 프랑스의 패배로 끝나고 나폴레옹이 세인트 헬레나 섬에 유배되어 쓸쓸히 죽자, 퐁메르시는 시골로 잠시 몸을 피했다 다시 파리로 돌아왔다.

퐁메르시의 처가는 전통적인 왕당파였다. 그의 아내는 아들 하나를 낳고 곧 세상을 떠났다. 그러자 장인인 질노르망은 외손자 마리우스를 자기 집에 데려다 키웠다. 나폴레옹을 숭배하는 사위를 미워한 나머지 부자간의 인연을 끊어 놓으려 했던 것이다.

마리우스는 어렸을 때부터 외할아버지 질노르망으로부터 아버지의 험담을 들으며 자랐다. 질노르망은 퐁메르시가 아들도 돌보지 않고 버린 비정한 사람이라고 말해 주었다.

한편, 아내가 죽은 후 아들마저 빼앗긴 퐁메르시는 혼자 쓸쓸하게 살았다. 두서너 달에 한 번씩 파리의 생 쉴피스 성당에 나가는 것이 그의 유일한 낙이었는데, 그 곳에 가면 장인 질노르망과 함께 나오는 아들을 먼발치에서나마 볼 수 있었던 것이다.

1827년 마리우스가 열일곱 살 되던 해, 질노르망 노인은 손에 편지를 쥔 채 마리우스를 불렀다.

"내일 베르농에 가서 네 아비를 만나 봐라. 병이 난 모양인데, 널 찾는단다."

아버지를 만난다는 생각을 전혀 해 본 적이 없는 마리우스는 놀랍고 당황스러웠다.

그 때 퐁메르시는 뇌염에 걸려 위독한 상태였는데, 마지막으로 아들을 보고 싶다고 질노르망 노인에게 간청했던 것이다.

다음 날, 마리우스는 베르농에 도착하여 퐁메르시 대령의 집을 찾았다. 초인종을 누르자 하녀가 문을 열었다.

"퐁메르시 씨를 만나러 왔습니다. 전 그분의 아들입니다. 저를 기다리고 계실 겁니다."

"이젠 안 기다리십니다."

하녀의 눈에는 눈물이 괴어 있었다.

퐁메르시는 그토록 그리던 아들을 보지 못한 채 이미 세상을 떠났던 것이다.

퐁메르시는 아무 유산도 남기지 않았다. 다 팔아도 장례식 비용으로도 모자랐다.

하녀는 종이쪽지 하나를 마리우스에게 전했다.

나의 아들에게

황제는 워털루 전쟁터에서 나를 남작에 봉하셨다. 지금의 정부는 이 작위를 인정하지 않지만, 너만이라도 자랑스럽게 간직하기 바란다. 내 아들은 이 작위에 어울릴 만한 가치가 있을 것이다.

퐁메르시는 또 다음과 같이 덧붙였다.

워털루의 전쟁터에서 한 상사가 내 생명을 구해 주었다. 이름은 테나르디에라고 한다. 아마 파리 근교의 몽페르메유에서 작은 여관을 하고 있을 것이다. 만일 그를 만나게 되면, 네가 내 대신 최대한 보답을 해 다오.

장례식을 마친 후, 마리우스는 파리로 돌아와 법률 공부를 했다. 아버지가 세상을 떠났다고 해서 변한 것은 없었다. 단지 모자에 상장을 달았을 뿐이었다.

어느 날, 마리우스는 생 쉴피스 성당에 갔다. 그는 무심코 '교구위원 마뵈프'라고 쓰인 의자에 앉았다.

그런데 미사가 시작되자 한 노인이 다가왔다.

"여긴 내 자린데……."

마리우스는 당황하여 재빨리 옆자리로 옮겼다.

미사가 끝난 후, 노인이 마리우스에게 말했다.

"아까는 미안했소."

"아니, 제가 오히려 죄송합니다."

"사실 이 자리는 지난 몇 년 동안 아들을 그리는 한 아버지가 두서너 달에 한 번씩 앉았던 자리라오. 그분은 항상 숨어서 아들의 모습을 바라보았지요. 만약 아들을 만나면 장인이 아들의 상속권을 빼앗겠다고 했기 때문에 그렇게 몰래 숨어서 보았던 것이라오. 워털루 전쟁에 참가한 것이 아들을 만나지 못할 이유라면 너무 가혹하다는 생각이 들지 않소? 베르농에 사는 퐁마리라든가 몽페르시라든가 하는 분이었지요."

노인의 말을 듣는 동안 마리우스의 얼굴빛이 달라졌다.

"혹시 퐁메르시 씨 아닌가요?"

"아, 맞아요. 그분을 아시오?"

"제 아버지십니다."

그러자 노인은 마리우스의 손을 덥석 잡았다.

"그 아들이 벌써 이렇게 컸다니, 정말 놀랍구려!"

비로소 아버지의 마음을 알게 된 마리우스는 도서관에서 나폴레옹 시대의 신문과 기록을 조사하여 닥치는 대로 읽었다. 아버지의 상관이었던 사람도 찾아갔다. 그렇게 해서 그는 아버지에 대한 모든 것을 알게 되었다.

아버지에 대해 알게 되면서 마리우스는 변했다. 아버지를 존경하게 되었고, 나폴레옹 추종자들과 어울려 다녔다.

그리고 아버지에게 다가간 만큼 외할아버지로부터 멀어졌다.

'정치에 대한 생각이 다르다는 이유로 잔인하게도 아버지와 아들을 떼어 놓다니!'

마리우스의 가슴속에서는 격렬한 반항심이 일었다.

마침내 사실을 알게 된 질노르망은 크게 노했다.

마침내 마리우스는 외할아버지의 곁을 떠났다. 당연히 가난이 닥쳤다. 친구의 소개로 출판사의 번역 일을 하게 되었지만, 보수가 적어 시계와 외투 따위를 팔아야 했다.

불기 없는 방에서 빵 한 조각으로 끼니를 때우면서도 마리우스는 용기를 잃지 않았다.

그는 남달리 의지가 굳은 젊은이였다. 고난 속에서도 꾸준히 공부를 하여 변호사 시험에 합격했다.

그 후 마리우스의 생활은 훨씬 나아졌다. 일 년에 7백 프랑 정도 수입이 생긴 것이다.

그는 일 년에 30프랑씩 내고 파리 교외 고르보 저택의 방을 하나 얻었다. 벽난로도 없고, 가구도 꼭 필요한 것만 있는 방이었다. 그 방에서 그는 가장 싼 음식을 먹고, 옷도 허름한 것을 사 입으며 지냈다.

그 무렵, 마리우스는 아버지의 유언대로 테나르디에라는 사람을 만나러 몽페르메유에 갔다. 그러나 테나르디에는 오래 전에 파산하여 멀리 떠나고 없었다.

마리우스는 훤칠하게 잘 생긴 젊은이였다. 그를 보고 반하지 않는 처녀가 없을 정도였다. 그러나 마리우스는 여자들에게 관심도 없을 뿐만 아니라, 수줍음도 많았다.

그가 아무렇지도 않게 쳐다보는 여자는 두 명밖에 없었다. 한 사람은 셋집 주인 노파, 다른 한 사람은 이따금 뤽상부르 공원에서 보는 한 소녀였다.

소녀는 항상 예순 살 가량의 노인과 함께 다녔다. 그들은 공원의 오솔길 중에서도 가장 호젓한 곳을 찾아 나란히 벤치에 앉은 채 시간을 보내다 사라지곤 했다.

노신사는 예순 살 가량이었는데, 푸른 바지에 푸른 프록코트 차림으로 퇴역 장교 같은 느낌을 주었다. 열서너 살쯤 되어 보이는 소녀는 여윈 얼굴에 별다른 특징은 없었으나, 눈만은 매우 아름다웠다.

마리우스는 그들을 처음 본 지 일 년 가까이 되었을 때 공원 산책을 그만두었다. 그랬다가 6개월 만에 다시 공원에 올라갔을 때, 그는 소녀의 달라진 모습에 놀랐다.

노신사는 어딘지 침울하고 피곤해 보이는 모습 그대로였지만, 소녀는 몰라보게 아름다워져 있었다.

눈부시게 빛나는 금발에 대리석으로 빚어 놓은 듯한 이마, 발그레한 뺨, 눈부시게 하얀 살결, 미소가 음악처럼 번지는 입매, 귀엽게 생긴 코, 파란 눈……. 모두 나무랄 데 없이 아름다웠다.

마리우스가 지나가자, 그녀는 무심코 고개를 들었다. 그 눈길에 마리우스는 멈칫했다. 그의 가슴은 쿵쿵 소리를 내며 뛰었으나, 그녀의 표정은 무심했다.

다음 날, 마리우스는 새 옷에 새 모자에 새 구두 차림으로 뤽상부르 공원으로 갔다.

그는 노신사와 소녀가 앉아 있는 곳 가까이 가서 멈칫했다. 소녀의 얼굴이 이쪽으로 향한 듯했다. 그는 용기를 내어 그들 앞을 지나갔다. 그리고 오솔길 끝까지 갔다가 다시 되돌아왔다.

그러나 또 한 차례 그들의 앞을 지나가기는 힘들었다. 사람을 피하는 듯한 노신사가 이상하게 여길 것 같았기 때문이다.

마리우스는 거의 보름 동안 새 옷을 입고 공원으로 갔다.

이제는 날마다 바라보는 것만으로는 만족할 수 없게 되었다. 그래서 어느 날, 노신사와 소녀의 뒤를 밟아 그 사는 집을 알아 두었다. 그들은 어느 4층 건물에 살고 있었다.

노신사와 소녀가 건물 안으로 들어가자, 그는 문지기에게 다가가 물었다.

"방금 들어간 노신사는 이층에 사십니까?"

"아니, 4층에 삽니다."

"뭐하는 분인가요?"

"연금을 받아 사는 분입니다. 그다지 부자도 아니면서 불쌍한 사람들을 잘 돕지요."

"이름은 뭡니까?"

문지기는 의심스러운 눈초리로 마리우스를 바라보았다.

"당신은 누구십니까?"

마리우스는 곤란해져서 더 이상 묻지 못하고 돌아왔다.

다음 날도 노신사와 소녀는 뤽상부르 공원에 모습을 나타냈다. 그런데 여느 때와 달리 그들은 일찍 자리를 떴다.

마리우스는 이제 그들의 뒤를 밟는 것이 버릇처럼 되었다.

그들이 사는 건물 앞에 이르자, 노신사는 소녀를 먼저 들여보내고 뒤로 돌아서서 마리우스를 유심히 살펴보았다.

그 다음 날, 그들은 공원에 나오지 않았다.

온종일 기다리던 마리우스는 안타까운 마음에 그들이 사는 곳으로 갔다. 4층 창문을 쳐다보며 그 방의 불이 꺼질 때까지 밖에서 서성거리다 돌아왔다.

마리우스가 파수꾼 노릇을 한 지 일주일쯤 지났을 때였다. 4층 방에서는 이제 불빛도 새어 나오지 않았다.

'밤에 외출을 한 걸까?'

그는 밖에서 돌아오는 소녀의 얼굴이라도 보려고 기다렸다. 그러나 자정이 넘도록 그들은 돌아오지 않았고, 방의 불은 꺼진 채였다.

다음 날도 4층 방에는 불이 켜지지 않았다.

마리우스는 더 이상 견딜 수 없어 다시 문지기에게 물었다.

"4층에 사는 분들은 어디 가셨나요?"

"이사했습니다."

그 순간, 마리우스의 몸이 비틀거렸다.

"언제 어디로 가셨죠?"

"어제 이사했는데, 어디로 가셨는지는 나도 모릅니다."

그 때까지 머리를 숙인 채 제 볼일을 보며 대답하던 문지기가 고개를 들어 마리우스를 바라보았다.

"아, 먼젓번에 왔던 그 경찰 나리구려!"

마리우스는 아무 말도 하지 않고 돌아섰다.

그 노신사와 소녀는 바로 장발장과 코제트였다.

수녀원은 장발장에게 있어서 가장 안전한 은신처였다. 장발장은 죽을 때까지 그 곳에서 살고 싶었지만, 코제트의 장래를 생각하지 않을 수 없었다. 그가 수녀원에서 나가지 않는다면 코제트는 수녀가 될 것이다. 본인의 생각도 묻지 않고 코제트의 인생을 결정할 권리는 그에게 없었다.

그는 코제트를 사랑했다. 그의 누나와 조카들은 뿔뿔이 흩어진 후 찾을 길이 없었다. 그는 몽트뢰유 쉬르 메르에 있을 때 그들을 찾으려고 무척 애를 썼지만 허사였다. 그들은 영영 사라진 가엾은 사람들이었다.

그는 가슴속에 잠들어 있던 사랑이 눈을 뜨기 시작했을 때부터 그것을 오직 한 사람에게 쏟아부었다. 그 상대는 바로 코제트였다.

장발장과 코제트가 수녀원에 들어간 지 5년째 되던 해에 포슐르방 영감이 세상을 떠났다. 그러자 장발장은 코제트와 함께 수녀원을 나왔다.

가난한 사람들

마리우스가 살고 있는 고르보 저택에는 항상 '셋방 있음'이라는 쪽지가 붙어 있었다. 그 낡은 건물에는 사회의 밑바닥까지 굴러떨어진 가난한 사람들이 살고 있었다.

그 집은 바로 수녀원에 들어가기 전까지 장발장과 코제트가 살던 곳이었다. 그 때의 주인 노파는 이미 죽고 지금은 다른 사람이 주인이었다. 그런데 지금 주인 역시 노파였다.

마리우스의 옆방에는 종드레트 일가가 살고 있었다. 두 부부와 다 자란 두 딸이 단칸방에서 살았는데, 그들은 몹시 가난하다는 것 외에는 크게 눈에 띄는 점이 없었다. 주인 노파의 말을 빌리면, 그들은 거의 알몸뚱이로 고르보 저택에 이사 왔다고 한다.

노신사와 소녀가 사라진 후, 마리우스는 오랫동안 마음의 갈피를 잡지 못해 방황했다. 그는 소녀가 보고 싶어 혼자 끙끙 앓았다. 그러나 길거리를 온통 뒤지듯 헤매도 그 소녀는 찾을 길이 없었다.

어느 날, 마리우스가 자기 방에서 시름에 잠겨 있을 때 한 처녀가 찾아왔다.

그녀는 그가 찾는 소녀와는 너무도 달랐다. 주인 노파를 앞세워 방으로 들어온 그 여자는 비쩍 마른 몸에 허름한 셔츠와 치마 차림으로 몹시 추운 듯 달달 떨고 있었다.

"무슨 일이죠?"

마리우스가 묻자, 처녀는 불쑥 편지 한 통을 내밀며 말했다.

"이걸 전해 드리려고 왔어요, 마리우스 씨."

그녀는 마리우스라는 이름을 또렷이 말했다.

마리우스에게도 그녀의 얼굴이 낯설지 않게 느껴졌다.

   친절한 이웃 젊은이에게

   6개월 전 우리를 위해 방세를 대신 지불해 주신 것을 잘 알고 있습니다. 젊은 분이여, 당신에게 신의 축복이 내리시기를! 큰딸이 사정 이야기를 하겠지만, 우리 네 식구는 이틀 전부터 빵 한 조각도 먹지 못하고 있습니다. 게다가 아내는 병으로 누워 있습니다. 만일 제 생각이 틀리지 않았다면, 마음이 너그러운 당신은 우리를 불쌍히 여기어 다소의 은혜를 전해 주리라 믿습니다.

                           종드레트

그 편지를 가지고 온 처녀는 바로 옆방에 살고 있는 종드레트의 큰딸이었던 것이다.

종드레트 일가는 6개월 전에 고르보 저택에서 쫓겨날 형편에 처했었다. 방세를 두 달치나 밀렸던 것이다. 주인 노파로부터 그 이야기를 듣고, 마리우스는 선뜻 25프랑을 내주었다. 밀린 방세 20프랑을 제하고 나머지는 그들에게 주도록 했다. 마침 30프랑을 모아 둔 것이 있었기 때문이다. 마리우스는 그 일과 함께 씁쓸한 기분으로 전날 저녁의 일을 떠올렸다.

저녁 식사를 하러 밖으로 나갔던 그는 어둠 속에서 누군가와 세게 부딪쳤다. 고개를 돌리고 보니 누더기를 걸친 두 처녀였다. 하나는 키가 크고 야위었으며, 다른 하나는 그보다 약간 키가 작았다. 둘 다 무엇에 쫓기는 듯 숨을 헐떡이며 도망치고 있었다.

처녀들은 마리우스 뒤 가로수 그늘로 숨어 들어갔다. 그 모습은 얼마 동안 어둠 속에 희부옇게 떠 있다가 마침내 스러져 버렸다.

마리우스는 잠깐 걸음을 멈추었다가 다시 발을 옮겨 놓았는데, 발밑에 무엇인가 회색빛 나는 작은 꾸러미가 떨어져 있는 것이 보였다. 그는 허리를 굽혀 그 꾸러미를 주웠다.

"그 처녀들이 떨어뜨리고 간 모양이군."

마리우스는 뒤돌아서서 처녀들을 불렀으나, 이미 어디로 갔는지 보이지 않았다. 할 수 없이 그는 꾸러미를 주머니에 넣었다.

식사를 마치고 집으로 돌아온 마리우스는 그 꾸러미를 풀어 보았다. 단서가 있으면 주인을 찾아 돌려주려는 생각이었다.

꾸러미 속에는 네 통의 편지가 들어 있었다. 네 통 다 발신인 이름이 다르고, 편지마다 각각 다른 신분으로 자기를 소개하고 있었지만, 한 사람이 쓴 것이 분명했다. 즉, 네 통 다 누르스름한 종이에 씌어진데다 똑같이 담배 냄새를 풍기고 있었고, 맞춤법 틀린 것도 같았던 것이다.

첫 번째 편지는 에스파냐 기병 대위가 그리쉬레 후작 부인 앞으로 보내는 것으로, 프랑스를 위해 목숨을 걸고 싸웠는데 이제 돈이 없어 조국으로 돌아가지 못하는 신세가 되었으니 자비를 베풀어 달라고 했고, 두 번째 편지는 남편에게 버림받은 여자가 몽베르네 백작 부인에게 보내는 것으로, 아이들이 여섯이나 되는데 수입이 전혀 없어 자살할까 생각 중이라며 도와 달라고 했다. 세 번째 편지는 잡화상 파부르조에게 문인 장플로가 보내는 것으로, 원고가 팔리지 않아 생계가 곤란하니 도와 달라는 내용이었다. 네 번째 편지는 배우 파방투가 어느 성당의 자비심 많은 노신사에게 보내는 것으로, 비참하기 짝이 없는 생활을 하고 있으니 직접 자기 집에 와서 형편을 보고 도와 달라고 되어 있었다.

네 통의 편지를 다 읽고 나니, 뭔지 아리송하고 언짢은 기분이 들었다.

그랬던 것이, 지금 처녀가 가지고 온 편지를 읽고 나니 비로소 그 이상한 편지 꾸러미에 대한 의혹이 풀렸다.

그러니까 종드레트는 인정 많은 몇 사람을 정해 놓고 딸들을 시켜 가명으로 동정을 구걸하고 있는 것이었다.

마리우스는 전날 밤에 주운 편지 꾸러미를 처녀에게 주었다.

"당신이 떨어뜨린 것 같은데 받으시오."

그러자 그녀는 손뼉을 치며 좋아했다.

"어머, 이걸 마리우스 씨가 주웠군요! 이걸 찾으러 얼마나 돌아다녔는지 몰라요. 우린 불쌍하게도 세 군데서 거절당했답니다. 하지만 아직 희망은 있어요. 성당의 자비심 많은 할아버지가 얼마라도 줄 거예요. 그러면 그 돈으로 오랜만에 식사를 할 수 있을 거예요."

마리우스는 주머니를 뒤져 5프랑 16수를 꺼냈다. 그가 가진 돈의 전부였다. 그는 16수만 남기고 5프랑을 처녀에게 주었다. 그녀는 그 돈을 냉큼 받아 손에 꼭 쥐더니, 찬장 위에 있던 먼지가 쌓이고 곰팡이가 핀 빵조각을 집어들고 밖으로 달려나갔다.

처녀가 나간 후, 마리우스는 깊은 생각에 잠겼다. 그 자신도 5년 동안 가난하고 고달픈 생활을 하고 있었지만, 진정한 비극은 모르고 살아온 것 같았다. 종드레트와 두 처녀의 뻔뻔스러움은 궁지에 몰린 인간의 마지막 모습일 것이다. 마리우스는 그들을 관찰하기로 했다.

옆방과 붙어 있는 벽을 무심히 바라보던 그는 천장 부근에 구멍이 나 있는 것을 발견했다. 찬장 위로 올라가 구멍을 들여다보니 옆방이 한눈에 내려다보였다. 더럽고 냄새나고 어두컴컴하고 불쾌한 느낌이 드는 방이었다.

"빌어먹을 세상, 발칵 뒤집어 버리고 싶어!"

책상에 앉아 편지를 쓰고 있던 종드레트가 소리쳤다.

누덕누덕 기운 천조각을 걸친 뚱뚱한 여자가 맨발로 난로 앞에 쭈그리고 앉아 있었다.

침대에는 열두세 살쯤 되어 보이는 몸이 호리호리하고 얼굴이 창백한 소녀가 걸터앉아 있었다. 그러나 주의해 살펴보니 분명 열다섯 살은 되어 보였다. 그의 방에 찾아왔던 처녀의 동생이 틀림없었다.

마리우스가 찬장에서 내려왔다가 다시 올라갔을 때, 외출했던 큰딸이 들어오는 것이 구멍으로 보였다.

"아버지, 생 자크 성당의 그 자선가 할아버지가 와요."

딸의 말에 종드레트는 벌떡 일어섰다.

"지금 말이냐?"

"네, 제 바로 뒤에 따라올 거예요."

"복도 맨 끝의 오른쪽 문이라고 자세히 일러 주었겠지? 늙은이들은 정신이 흐릿해서 믿을 수가 없단다."

"염려 마세요."

종드레트 일가는 갑자기 손님 맞을 준비로 바빠졌다.

종드레트 부인은 먼저 단지의 물을 부어 난롯불을 껐다. 그리고 큰딸에게는 의자 속의 짚을 빼라고 하고, 작은딸에게는 유리창을 깨라고 했다.

작은딸이 피투성이가 된 손을 들고 울었다. 유리창을 깨다가 다친 것이다. 종드레트는 자신의 셔츠를 찢어 딸의 손을 싸매 주었다.

"울 것 없어. 일부러 그런 거니까."

그런 다음, 그는 아내에게는 침대에 누워 있으라고 했다.

깨진 유리창 사이로 눈보라가 휘몰아쳐 들어왔다.

"이제 자선가를 맞이할 준비가 다 된 것 같군."

종드레트는 방 안을 둘러보며 중얼거렸다.

바로 그 때, 문을 두드리는 소리가 났다.

종드레트는 얼른 뛰어가 문을 열었다.

"어서 오십시오, 나리. 누추한 곳끼지 와 주셔서 정말 감사합니다. 아, 어여쁜 아가씨도 오셨군요."

그 순간, 마리우스는 너무 놀라 하마터면 찬장에서 떨어질 뻔했다. 두

사람은 바로 자신이 그토록 애타게 찾던 소녀와 노신사였다.

'이게 어찌 된 일이지? 고귀한 사람들이 이렇게 비열하고 간악한 자들의 소굴에 오다니!'

아무튼 마리우스는 반가워서 눈물이 날 지경이었다. 소녀는 전보다 얼굴빛이 다소 창백해진 듯했으나 여전히 아름다웠다.

소녀가 노신사에게 들고 있던 보퉁이를 건네주었다.

"이 보퉁이 속에 옷가지와 양말과 담요가 들어 있소."

종드레트는 그것을 받으며 머리가 땅에 닿도록 인사를 했다.

"아, 자비로우신 나리, 감사합니다."

"이름이 뭐라고 하셨죠?"

"파방투입니다. 한때는 이름깨나 날리는 배우였죠. 지금은 요 모양 요 꼴이 되었지만……. 좀 보십시오. 먹을 것도 없고 불도 못 피우는 형편이지요. 하나뿐인 의자는 속이 빠져 못쓰고, 이렇게 추운 날씨에 유리창마저 깨졌답니다. 그런데다가 아내는 병들어 누워 있고, 딸은 하루에 6수를 벌려고 공장에서 일하다가 손을 다쳤습니다."

"그거 참 안 됐군요."

"이나마 오늘 밤 여덟 시까지 방세를 치르지 않으면 이 집에서도 나가야 합니다."

노신사는 주머니에서 5프랑을 꺼냈다.

"저런 망할 늙은이 같으니라고! 5프랑으로는 깨진 유리창과 의자 값도 안 되겠네."

종드레트가 큰딸의 귀에 대고 속삭였다.

"지금은 가진 게 이것뿐이오. 딸을 집에 데려다 주고 오늘 저녁에 다시 오겠소. 밀린 집세가 얼마인가요?"

"일년치 방세 60프랑입니다."

"알았소. 여섯 시까지 오겠소."

"두 시간이나 앞당겨 주시니 감사합니다. 기다리고 있겠습니다."

노신사가 소녀를 데리고 방을 나가자, 마리우스는 얼른 찬장에서 내려와 밖으로 나갔다.

다시 놓치면 못 만날 것 같아서였다.

마리우스가 계단을 내려갔을 때, 두 사람은 이미 마차에 올라 그 곳을 떠나고 있었다. 그러나 그에게는 마차삯이 없었다. 아침에 종드레트 큰딸에게 다 주고 16수밖에 없었다.

어쩔 수 없이 방으로 들어가는데, 뜻밖에도 종드레트의 큰딸이 복도에 서 있었다.

그녀는 방까지 따라 들어왔다.

"마리우스 씨, 무슨 고민이 있나요?"

그녀가 마리우스의 얼굴을 살피며 물었다.

"나는 심부름을 잘 해요. 편지를 전한다든가 주소를 알아 낸다든가 누구 뒤를 밟는다든가, 뭐든지 시켜 보세요. 아마 나보다 그런 일을 잘 하는 사람은 없을 거예요."

마리우스는 행여나 하는 마음으로 입을 열었다.

"조금 전에 나간 그 노신사와 아가씨가 어디 사는지 아시오?"

"모르는데요."

"그걸 좀 알아다 주겠소?"

"그 아름다운 아가씨 때문이군요."

"할 수 있겠소?"

"그러면 내게 뭘 주시겠어요?"

"뭐든지."

"좋아요, 알아다 드릴게요."

종드레트의 큰딸이 나간 뒤, 마리우스는 침대에 몸을 던졌다.

"틀림없이 어디선가 본 적이 있는 영감이야."

종드레트의 목소리에 마리우스는 얼른 찬장 위로 올라갔다. 노신사와 소녀에 관한 말인 것 같았기 때문이다.

"벌써 8년이나 지났지만, 나는 분명히 기억하고 있어."

종드레트와 그 아내가 이야기를 하고 있었다. 종드레트가 낮은 소리로 뭐라고 속삭이자, 그의 아내가 소리를 질렀다.

"설마 고것이! 그 거지 같던 계집애가 그렇게 변할 리가요? 우리 애들은 헐벗고 굶주리는데, 비로드 모자에, 고급 망토와 구두까지……."

종드레트 아내는 놀람과 증오와 분노가 뒤섞인 소리로 외쳤다.

그들은 노신사와 그의 딸을 알고 있는 듯했다.

"너무 그럴 것 없어. 한 밑천 잡을 좋은 기회니까. 그러려면 나를 도와줄 녀석들이 필요해. 이제부터 그 녀석들을 만나고 오겠어.”

“잘 안 되면 어쩌죠?”

“그럼 해치워 버리면 돼.”

그러면서 종드레트는 차갑고 음산하게 웃었다.

“그 늙은이가 나를 알아보지 못한 건 다행이야. 만약 알아보았다면 다시는 오지 않을 테니까. 이 멋진 수염이 나를 도와준 거야. 수염을 기르길 잘했지.”

그는 다시 웃었다.

그 말을 듣고 보니, 마리우스는 가만히 있을 수가 없었다. 노신사는 아무것도 모른 채 약속대로 저녁에 나타날 것이고, 그러면 종드레트의 음모에 걸려들어 위험해질 것이다.

마리우스는 급히 찬장에서 내려와 발소리를 죽여 밖으로 나왔다. 그가 달려간 곳은 경찰서였다.

마리우스는 경찰서에 도착하자마자 서장을 찾았다.

“서장님은 지금 안 계신데, 무슨 일이오?”

서장 대신 나선 사나이는 몹시 비정해 보이고 무서운 느낌을 주는 사람이었다.

“급한 일입니다.”

마리우스는 먼저 신분을 밝힌 다음, 옆방에서 벌어진 상황을 자세히 설명했다.

“종드레트라면 복도 맨 끝방에 사는 자로군.”

“그 집을 아십니까?”

“들어간 적이 있소.”

그뿐 아니라 사나이는 종드레트와 어울리는 자들의 이름까지 낱낱이 외우고 있었다. 그것으로 보아 종드레트 패거리는 경찰의 요주의 인물인 모양이었다.

"옆방에 그런 자가 살고 있는 줄은 정말 몰랐습니다."

"불안하오?"

"다소 불안하지만, 경찰이 선량한 시민을 악당으로부터 보호해 줄 것을 믿습니다."

"용기 있고 정직한 분인 것 같구려. 떳떳한 사람들은 경찰을 무서워하지 않는 법이오."

"그들을 어떻게 하실 겁니까?"

"우선 고르보 저택의 열쇠가 있으면 좀 주시오. 그리고 당신은 이걸 갖고 가시오."

사나이가 권총 두 자루를 주었다. 마리우스는 권총을 받고, 세 든 사람들이 저마다 갖고 있어 밤중에 문을 열 때 쓰는 열쇠를 넘겨주었다.

"두 개 다 총알이 두 발씩 들어 있소. 옆방을 감시하다가 급한 일이 생기면 공포를 쏘시오. 그 뒤의 일은 내가 알아서 처리할 것이오. 너무 서두르지 말고 중요한 순간에 쏘시오."

마리우스가 권총을 바지 주머니에 넣고 돌아가려 할 때, 사나이가 당부했다.

"잘 알겠습니다."

"얼른 가 보시오. 그리고 그 안에 급한 일이 생기면 이리 직접 오든지, 아니면 사람을 보내시오. 난 자베르 경위요."

음 모

어느 새 다섯 시 반이 되었다. 이제 30분 후면 사건이 일어날 것이다. 마리우스는 자기 방 침대에 걸터앉아 있었다.

이윽고 아래층에서 삐걱거리는 소리가 들려왔다. 이어 계단을 올라와 복도를 걷는 소리가 들리더니, 옆방 문 여는 소리가 났다.

"나 왔어."

종드레트의 목소리였다. 그가 돌아온 것이다.

"어떻게 됐어요?"

"응, 잘 됐어."

"밖에서 무슨 음모를 꾸몄을까? 곧 그의 일당이 나타나겠군."

마리우스는 옆방에서 나는 소리에 귀를 기울였다.

"주인 할멈은?"

"아까 나갔어요. 옆방 사람은 식사하러 갔을 테고."

"가서 확인하고 와."

종드레트의 말에 마리우스는 얼른 침대 밑으로 기어들어갔다.

잠시 후, 종드레트의 큰딸이 촛불을 들고 들어왔다. 그녀는 콧노래를 흥얼거리더니 자기네 방 쪽을 향해 소리쳤다.

"아무도 없어요!"

"제대로 살펴봐!"

"아직 안 들어왔나 봐요."

"그럼 너희들은 얼른 나가서 망을 봐. 조금이라도 의심스러운 일이 있으면 얼른 알려야 해."

아버지의 말에 두 딸은 투덜거리며 계단 밑으로 내려갔다.

마리우스는 침대 밑에서 기어나와 찬장으로 올라갔다.

마침내 여섯 시를 알리는 종소리가 들려왔다.

종드레트는 재빨리 촛불을 끄고 방 안을 서성거리기 시작했다. 그의 아내는 손님을 맞이하기 위해 복도까지 나가 있었다.

"나리, 어서 오세요!"

복도에서 종드레트의 아내가 큰 소리로 말했다.

종드레트는 재빨리 문 쪽으로 갔다.

"어서 오십시오. 기다리고 있었습니다."

노신사가 들어서자, 종드레트는 의자를 권했다. 노인은 말없이 의자에 앉았다. 그리고 탁자 위에 루이 금화 네 닢을 내놓았다.

"이걸로 우선 밀린 방세를 내시오. 그리고 앞으로의 일은 다시 의논하도록 합시다."

"하느님의 은총이 함께하기를!"

마리우스의 가슴은 뛰기 시작했다. 그는 권총을 움켜쥐고 계속 옆방을 노려보았다.

"따님 손은 어떻습니까?"

노인이 침대 쪽을 보며 물었다.

"안 좋아서 병원에 보냈습니다."

"부인께선 많이 좋아지신 것 같은데."

"워낙 황소 같은 여자니까요."

종드레트가 재빨리 얼버무렸다.

그러는 사이에 한 사나이가 슬그머니 방 안으로 들어왔다. 그 뒤를 이어 또 다른 사나이가 들어왔다. 두 사나이는 모두 얼굴에 검은 칠을 하고 있어 섬뜩한 느낌을 주었다. 노신사는 자기도 모르게 움찔했다.

"신경쓰지 마십시오. 이웃 사람들입니다. 모두 우리처럼 못 사는 친구들이죠. 사실 우리도 예전엔 잘 살았답니다. 지금은 남은 거라곤 그림 한 장밖에 없지만."

종드레트는 노신사에게 그 그림을 사 달라고 하며, 벽에 세워 둔 널빤지를 가져다가 뒤집어 보였다.

"그게 무슨 그림입니까?"

"아주 유명한 화가가 그린 겁니다. 그런데 워낙 형편이 안 좋아
서……."

어느새 방 안에는 두 명의 사나이가 더 들어와 있었다. 셋은 침대 쪽
에, 하나는 문 옆에 있었다.

"그건 무슨 술집 간판 같군요. 후하게 쳐도 3프랑 이상은 안 될 것 같
은데."

그러자 종드레트는 입에서 나오는 대로 말했다.

"그럼 5백 프랑까지는 깎아 드리겠습니다. 나리께 이 그림을 팔지 못
하면, 우리 가족은 강물에 빠져 죽을 수밖에 없습니다."

노신사는 종드레트가 미친 것이 아닌가 생각하는 것 같았다.

그 순간, 종드레트의 눈이 갑자기 무섭게 번쩍였다.

"좋아. 이 따위는 집어치우기로 하지. 내가 누군지 모르겠나?"

종드레트가 소리치자, 노신사는 창백한 얼굴로 몇 걸음 물러섰다.

마리우스는 방문 쪽에 또 세 사나이가 나타나는 것을 보고 더욱 긴장
했다. 모두들 푸른 작업복을 입고 얼굴에 검은 칠을 했으며, 손에는 쇠
가 달린 몽둥이와 도살용 칼 따위를 들고 있었다.

"준비는 다 됐나?"

종드레트가 묻자, 사나이 중 하나가 대답했다.

"응."

아마도 밖에 마차를 대기시켜 놓았으리라고 짐작이 되었다.

노신사의 태도는 의외로 침착했다. 마리우스는 권총을 쥔 손을 천정
쪽으로 쳐들고, 여전히 구멍에서 눈을 떼지 않았다.

"아직도 내가 누군지 모르겠나?"

종드레트가 말했다.

"모르겠소."

"내 이름은 파방투도, 종드레트도 아니고, 테나르디에야! 몽페르메유의 여관 주인 테나르디에를 모르나?"

"모르겠소."

테나르디에란 말을 듣는 순간, 마리우스는 하마터면 총을 떨어뜨릴 뻔했다.

'종드레트, 네가 정말 테나르디에란 말이냐? 아버지의 유서 속에 적혀 있던 생명의 은인, 내가 그토록 찾아다니던 테나르디에가 바로 너였다니!'

아버지를 구해 주었다는 사실 하나만으로 테나르디에라는 사람에게 존경심을 품었던 마리우스였다. 그가 총을 쏘면 어딘가 잠복하고 있을 자베르 일행이 들이닥쳐 테나르디에를 체포할 것이다. 생명의 은인을 찾아서 보답하라는 아버지의 유서 내용이 그를 괴롭혔다.

이제 모든 일은 마리우스에게 달려 있었다. 그가 총을 안 쏜다면 노신사는 악당들에게 무자비한 폭행을 당할 것이 뻔했다.

"너는 겨우 1천5백 프랑을 던져 주고 내게서 그 계집애를 빼앗아 갔지? 그래서 나는 일생 동안 먹고 살 수 있는 행운을 놓쳤어."

"난 도무지 무슨 말인지 모르겠소. 아마 나를 다른 사람으로 착각한 것 같소."

노신사는 애써 침착한 태도로 대꾸하고 있었다.

"이 뻔뻔스러운 놈이 또 나를 속이려고 하네! 네놈이 백만장자라는 건 내가 다 알아."

"미안하지만 잘못 알았소. 난 당신처럼 가난한 사람이오."

"자선가 늙은이! 가난뱅이에게 푼돈이나 던져 주고 거들먹거리는 놈! 하지만 난 너 같은 놈은 아니야. 난 이래 봬도 프랑스 군인이었어. 워털루에도 갔었지. 거기서 무슨 남작이라는 장교도 구해 주었어."

마리우스는 테나르디에의 말을 한 마디도 놓치지 않았다. 그는 틀림없이 아버지의 유언장에 씌어 있던 바로 그 사람이었다.

"이제부터 진짜 맛을 보여 주지. 조용히 기도나 하라고!"

테나르디에가 노신사를 쏘아보며 소리쳤다.

사나이들이 노신사에게 다가서기 시작했다. 노신사는 의자를 걷어차고 탁자를 쓰러뜨리더니 재빨리 창문 쪽으로 피했다. 그러나 창문 밖으로 몸이 반쯤 나갔을 때, 여섯 개의 손에 의해 낚아채였다.

'아버지 용서해 주세요.'

속으로 중얼거리며 마리우스가 방아쇠를 당기려 했을 때, 테나르디에의 고함 소리가 들렸다.

"해치지 마!"

테나르디에가 노리는 것은 돈이었으므로, 일을 그르치지 않도록 주의를 준 것이다.

노신사와 사나이들 사이에 격투가 벌어졌다. 노신사가 두 녀석을 쓰러뜨려 깔고 앉자, 다른 녀석들이 제 동료야 어찌 되든 한꺼번에 덮쳤다. 마침내 사나이들은 노신사를 침대로 끌고 가 꼼짝 못하게 묶었다.

사나이들은 재빨리 노신사의 주머니를 뒤졌다. 그러나 그의 주머니에선 6프랑이 든 지갑과 손수건 외에는 아무것도 나오지 않았다.

"뭐야? 시계도 안 찼어."

"반지도 없잖아."

사나이들이 한 마디씩 했다.

테나르디에는 짐짓 기세를 누그러뜨리고 노신사를 구슬르려 했다.

"어이, 당신은 자선가로 이름났지? 20만 프랑 정도 내게 준다고 해서 큰일나는 건 아니잖아. 자, 그럼 부르는 대로 써."

테나르디에는 탁자를 노신사 앞으로 당겨놓은 다음, 서랍에서 잉크와

펜, 종이를 꺼냈다.

　노신사는 순순히 테나르디에가 부르는 대로 받아 썼다.

　　사랑하는 내 딸아, 이 편지를 받는 대로 곧 오너라. 편지를 가지
　고 간 사람이 너를 내게 데려다 줄 것이다. 안심하고 오너라

　테나르디에는 만족한 듯 고개를 끄덕였다.

　"서명해. 이름이 뭐지?"

　"위르뱅 파브르."

　노신사는 서명을 하고, 주소를 썼다.

　"무슨 뜻인지 알겠지? 당신 딸을 내가 잠시 맡아 두겠다는 거야. 20
만 프랑을 가져오면 풀어 주지."

　테나르디에의 아내와 한 사나이가 그 편지를 가지고 밖으로 나갔다.

　마리우스는 만약 그들이 소녀를 데리고 온다면 목숨을 바쳐서라도 구
하리라 생각했다.

　한 시간쯤 지나자 계단 아래에서 소리가 들려왔다.

　"마누라가 온 모양이군."

　그 말이 끝나기도 전에 숨을 헐떡이며 들어온 테나르디에의 아내가
소리쳤다.

　"이 영감이 우리를 속였어요! 주소가 틀려요!"

　마리우스는 안도의 숨을 내쉬었다.

　그러나 옆방에는 무시무시한 정적이 흘렀다.

　"속셈이 뭐지?"

　마침내 테나르디에가 노신사를 노려보며 물었다.

　"시간을 벌기 위해서지."

그러면서 노신사는 밧줄을 풀었다. 밧줄은 다 풀리고 한쪽 다리만 묶여 있을 뿐이었다.

일곱 명의 사나이가 미처 정신을 차리기 전에 노신사는 얼른 난로 쪽으로 옮겨 가 끌을 집어들었다. 불길 속에 넣어 두었던 끌은 빨갛게 달구어져 있었다.

"나는 목숨이 아깝지 않은 사람이야."

사나이들이 놀라서 뒷걸음질을 치자, 노신사는 시뻘건 끌을 팔뚝에 갖다 댔다. 신음 소리도 내지 않은 채 자기 살을 태우는 것을 보고 사나이들은 질린 표정을 지었다.

이윽고 노신사는 창문 밖으로 끌을 던지고 손을 툭툭 털었다. 그의 팔뚝에서는 피가 흐르고 있었다.

"자, 이제 너희들 마음대로 해,"

그러자 사나이들이 노신사에게 달려들었다. 마리우스는 방아쇠에 손가락을 걸었다.

바로 그 때였다.

"모두 꼼짝 말고 그 자리에 서!"

누군가 소리쳤다. 모두들 깜짝 놀라 돌아보았다. 목소리의 주인공은 자베르 경위였다.

"사냥개처럼 용케 냄새를 맡았군."

테나르디에가 힘없이 중얼거리자, 사나이들은 순순히 흉기를 버렸다.

자베르는 빙긋 웃으며 복도에 있던 부하들을 불렀다.

"자, 다들 들어와!"

경찰들은 방 안으로 몰려 들어와 사나이들의 손에 수갑을 채웠다.

경찰들이 수갑을 채우는 동안, 테나르디에의 아내는 마룻바닥에 주저앉아 울부짖었다.

"우리 애들은 어떻게 하나!"

"망보던 여자애들 말인가? 벌써 잡혔지."

자베르가 말했다.

경찰들은 길 건너 가로수 그늘에 숨어, 테나르디에의 두 딸과 마차가 왔다갔다 하는 것을 지켜보고 있었다. 그러다가 마리우스가 좀처럼 권총을 쏘지 않자, 더 이상 기다릴 수가 없어 들이닥친 것이다.

"이자들한테 묶여 있던 사람을 데리고 와."

자베르가 말했다. 그러나 노신사는 이미 사라진 뒤였다.

"어떻게 된 거야?"

"창문으로 뛰어내린 것 같습니다."

"빌어먹을! 큰 고기를 놓쳤군."

자베르가 창 밖을 내다보며 중얼거렸다.

마리우스는 끔찍한 일을 겪은 그 집에서 더 이상 살고 싶지 않았다. 그래서 자베르가 테나르디에 일당을 세 대의 마차에 나누어 싣고 떠나자, 곧 그 집에서 나와 친구 쿠르페라크의 집으로 갔다.

"당분간 신세 좀 지겠네."

쿠르페라크의 집이 있는 거리에서는 왕당 정치에 반대하는 젊은이들이 자주 폭동을 일으키곤 했다. 마리우스의 친구들도 거기에 가담했다.

그러나 마리우스는 실의에 빠져 거리를 방황했다. 꿈에도 그리던 소녀를 그렇게 허무하게 놓치고 나니, 다시는 만날 길이 없을 것 같아서였다. 또 아버지의 생명의 은인이라는 테나르디에를 찾았지만, 저주하고 싶을 만큼 흉악한 인물이라는 사실도 마리우스를 괴롭혔다.

'비록 악한 자이긴 해도, 테나르디에는 아버지의 생명을 구해 준 사람 아닌가.'

그래서 마리우스는 교도소에 있는 테나르디에 앞으로 월요일마다 5프 랑씩을 보냈다. 그의 형편에 비하면 큰 돈이었으므로, 친구 쿠르페라크 에게 번번이 돈을 꾸어야 했다. 그러나 돈을 빌려 준 쿠르페라크는 누 구에게 보내는지 몰랐고, 테나르디에도 누가 보내는지 몰랐다. 그러던 어느 날, 마리우스는 길에서 테나르디에의 큰딸 에포닌을 만났다.

"겨우 만났군요. 당신을 얼마나 찾았는지 몰라요."

그녀는 매우 반가워했다. 그 동안 그녀는 꽤 어른스럽게 변했는데, 옷 차림은 전보다 더 남루해서 보기에 딱할 정도였다.

"그 동안 어떻게 지냈소?"

"경찰서 유치장에 두 주일 동안 갇혀 있다가 나왔어요. 하지만 당신 을 찾느라고 더 고생했어요. 겨우 찾았는데, 당신은 날 만난 게 전혀 기쁘지 않은 것 같군요."

"어째서 나를 찾아다녔소?"

"잊으셨어요? 그 자선가의 따님이 사는 곳을 알아 달라고 부탁하셨잖 아요."

"그 아가씨가 사는 곳을 알았단 말이오?"

그녀는 입술을 꼭 깨물며 마리우스를 쳐다보았다.

"내가 원하는 것은 뭐든지 해 준다고 약속했죠?"

"그랬소."

"그런데 당신은 몹시 가난해 보이는군요. 낡은 모자에 셔츠도 구멍이 났군요!"

"어서 대답이나 해 봐요. 주소를 알아 냈소?"

"그래요."

순간, 마리우스는 자기도 모르게 에포닌의 손을 덥석 잡았다.

"그 아가씨가 사는 곳이 어디오?"

"저를 따라오세요. 저도 어느 거리 몇 번지인지는 확실히 몰라요."

그녀는 마리우스의 손을 뿌리치고 앞장 서서 걷기 시작했다.

"고맙소, 에포닌."

얼마쯤 가다가 그녀가 걸음을 멈추고 뒤를 돌아보았다.

"참, 제가 원하는 걸 주신다고 했죠? 뭘 주시겠어요?"

마리우스는 주머니를 뒤졌다. 주머니에는 테나르디에에게 보낼 5프랑 밖에 없었다. 그는 그것을 그녀의 손에 쥐어 주었다.

그러자 에포닌은 서글픈 표정으로 그 돈을 땅바닥에 떨어뜨렸다.

"전 돈을 바란 게 아니에요."

마리우스는 당황해서 얼굴을 붉혔다.

아름다운 연인들

포슐르방 영감이 죽던 날, 장발장은 코제트를 데리고 수녀원을 나왔다. 그리고 생 제르망 성문 밖 플뤼메 거리에 있는 이층집을 사서 거기에 숨어 살았다.

장발장은 파리 시내의 다른 두 군데, 즉 웨스트와 롬 아르메 거리에도 방을 얻어 놓았다. 같은 곳에서 계속 사는 것보다 여러 군데 옮겨 다니는 것이 훨씬 남들의 눈에 덜 띄고, 또 갑자기 경찰에 쫓기게 될 때 쉽게 다른 거처로 피신할 수 있기 때문이다.

두 사람은 주로 플뤼메 거리의 집에 살았으나, 다른 두 군데 거처에서도 한두 달씩은 지내는 편이었다.

수녀원에 있을 때와 마찬가지로 장발장은 포슐르방으로 행세했다. 비록 신분을 숨기고 지내야 하는 처지였으나, 장발장은 저녁이면 코제트와 함께 산책을 나갔다. 뤽상부르 공원의 인적 드문 오솔길을 걷는 것이었다. 그리고 일요일에는 성당 미사에 참석했으며, 가난한 사람들의 집을 방문하여 자선을 베풀었다.

집에 있을 때, 장발장은 책을 많이 읽었다. 그가 독서를 할 때면, 코제트는 객실에서 수를 놓았다. 코제트는 수녀원에서 여러 가지를 배워 집안 살림을 알뜰하게 꾸릴 줄도 알았고, 장발장의 시중도 빈틈없이 들었다.

코제트는 가끔 장발장에게 잔소리를 하기도 했다.

"아버지는 왜 방에 양탄자도 깔지 않고 난로도 피우지 않지요?"

"코제트, 세상엔 집 없이 사는 사람도 많단다."

"그럼 왜 제 방에는 난로도 피우고, 필요한 것은 뭐든지 갖추어 주시는 거예요?"

"넌 여자고, 또 아직 나이가 어리잖아."

"그렇다면 남자 어른들은 춥고 불편하게 살아야 하는 거예요?"

"다들 그런 건 아니지. 하지만 그래야만 하는 사람들도 있어."

그 무렵, 코제트는 하루가 다르게 아름다워져 갔다. 자신도 그것을 느끼는지 거울을 오랫동안 들여다보고, 옷차림에도 신경을 썼다.

그리고 전에는 장발장과 함께 정원 벤치에 앉아 이야기하는 것을 좋아했지만, 언제부터인지 자주 밖에 나가고 싶어했다.

어느 날인가는 뤽상부르 공원 오솔길의 벤치에서 세 시간 동안이나 앉아 있었는데도, 장발장이 집에 가자고 하자 놀란 듯 말했다.

"벌써 집에 가자고요?"

장발장은 마리우스가 그들이 앉아 있는 벤치 언저리에서 왔다갔다 하는 것을 눈치채고 있었다. 코제트를 바라보는 마리우스의 표정은 넋을 잃은 듯했다.

마리우스는 거의 매일 공원에 나타났다. 장발장은 코제트를 빼앗길까

봐 불안했다.

마침내 마리우스는 두 사람의 뒤를 밟았다. 그 때 두 사람은 뤽상부르 공원 근처에서 지내고 있었는데, 마리우스는 그들이 사는 4층 방을 말없이 쳐다보다가 돌아가곤 했다.

아무래도 안 되겠다고 생각한 장발장은 플뤼메 거리에 있는 집으로 돌아가기로 했다. 코제트는 잠자코 있었으나, 그녀의 얼굴에는 슬픈 그림자가 드리워져 있었다.

어느 날, 장발장은 코제트를 시험해 보기로 했다.

"뤽상부르 공원에 가 볼까?"

그 순간, 코제트의 얼굴에 한 줄기 빛이 스쳐갔다.

"네."

그러나 마리우스는 공원에 나오지 않았다.

그 이튿날, 장발장이 코제트에게 다시 물었다.

"뤽상부르 공원에 갈까?"

"아뇨."

코제트는 슬픈 표정으로 대답했다.

그 표정에 장발장은 마음이 무거워졌다. 그리고 수녀원에서 나온 것을 후회했다.

장발장이 종드레트에게 속아 그의 집을 방문한 것이 바로 그 무렵이었다.

자베르에게 붙잡힐 뻔했다가 가까스로 도망쳐 나온 후, 장발장은 한 달 이상이나 외출을 하지 못했다. 왼쪽 팔의 상처 때문이었다.

장발장이 의사를 부르지 못하게 했으므로, 코제트는 아침 저녁으로 그의 상처를 치료해 주었다. 그리고 하루 종일 그의 옆에 붙어 앉아 책을 읽어 주었다.

1832년 4월 초순, 장발장이 갑자기 여행을 떠났다. 늘 그렇듯이 그는 여행을 떠나면 하루나 이틀, 아니면 사흘 정도 집을 비웠다. 무슨 일로 어디에 가는지 코제트는 알지 못했다. 대개 그런 여행을 하는 것은 집에 돈이 떨어졌을 무렵이었다.

어느 날 밤, 코제트는 아래층 응접실에서 혼자 피아노를 치며 노래를 부르고 있었다.

그 때 정원에서 사람의 발소리가 들렸다. 11시가 넘은 시간이었다.

'이 시간에 누구지?'

코제트는 얼른 이층의 자기 방으로 올라가 정원을 내려다보았다. 그러나 아무도 보이지 않았다. 코제트는 잘못 들은 것이려니 생각했다.

그런데 다음 날 저녁, 정원을 산책하다가 전날과 똑같은 발소리를 들었다.

코제트는 깜짝 놀라 걸음을 멈추었다. 용기를 내어 돌아보니 둥근 모자를 쓴 사람의 그림자가 보였다.

코제트는 소리도 못 지르고 그 자리에 꼿꼿이 서 있다가 집 안으로 뛰어 들어왔다.

다음 날, 장발장이 돌아왔다. 그는 코제트로부터 그 이야기를 듣고, 그날 저녁부터 몽둥이를 들고 정원을 지켜보았다. 그런데 며칠 동안 아무 일도 일어나지 않았다.

"너무 신경 쓰지 마라. 헛것을 본 모양이다."

장발장은 코제트를 안심시켰다.

그러나 며칠 후의 어느 날 저녁, 새로운 사건이 일어났다. 마침 장발장이 외출하고 없을 때였다.

정원을 거닐던 코제트는 벤치에 제법 큰 돌 하나가 올려져 있는 것을 발견했다. 분명히 조금 전까지는 없던 것이었다. 코제트는 겁이 나서 안으로 뛰어들어갔다.

돌은 다음 날 아침까지 그대로 있었다. 코제트는 용기를 내어 돌을 들어올렸다. 이미 날이 훤하게 밝았으므로 전날처럼 두렵지는 않았다.

돌 밑에는 흰 봉투가 놓여 있었다. 봉투 속에 작은 수첩이 들어 있었다. 각 페이지마다 번호가 매겨져 있고, 뛰어난 필체로 무엇인가 씌어 있었다.

'그녀는 요즘도 뤽상부르 공원에 옵니까? 아니오. 그녀는 미사를 드리러 성당에 옵니까? 이젠 오지 않습니다. 그녀는 지금도 여기 살고 있습니까? 아니오, 이사 갔습니다. 어디로 갔습니까? 아무 말 없이 가서 모릅니다.'

'만일 이 세상에 사랑하는 사람이 없었다면, 태양도 이미 빛을 잃었으리라.'

누군가의 애타는 심정이 잘 나타나 있는 글이었다.

'도대체 누가 썼을까?'

코제트는 그런 글을 써 보낼 만한 사람은 단 한 명뿐이라고 생각했다. 뤽상부르 공원에서 보았던 그 청년, 바로 그였다!

그날 밤, 코제트는 아름다운 옷으로 갈아입고 정원으로 나갔다. 그리고 벤치에 앉아 누군가 오기를 기다렸다.

얼마 후, 등뒤에서 인기척이 났다. 코제트는 고개를 돌렸다. 바로 그가 뒤에 서 있었다.

"용서해 주십시오. 여기 이 벤치 위에 두고 간 것을 읽으셨습니까? 가슴이 터질 것 같아 이대로는 견딜 수가 없었습니다. 꽤 오래 전 일이지만, 저를 보았던 기억이 나십니까? 아, 벌써 일 년이나 지났군요! 그 동안 나는 당신을 찾으러 미친 듯이 돌아다녔답니다. 부디 이렇게 찾아온 것을 용서해 주십시오."

그가 애원하듯 말했다.

코제트는 쓰러질 듯 비틀거렸다. 그는 얼른 그녀를 안아 벤치에 앉혔다. 이윽고 코제트가 들릴 듯 말 듯한 목소리로 말했다.

"당신을 기억하고 있어요."

그리고 그녀는 그의 팔을 잡아 자신의 가슴에 갖다 댔다.

"당신도 저를 사랑하고 있습니까?"

그가 놀라서 물었다.

"잘 아실 텐데요."

그녀는 그의 가슴에 붉어진 얼굴을 묻었다.

"이름이 뭐예요?"

"마리우스입니다. 당신은?"

"코제트예요."

그날 이후, 마리우스는 매일 밤 코제트를 찾아왔다. 그들은 서로 바라보고 어루만지고 손을 잡았다.

장발장은 두 사람이 그렇게 만나는 것을 까마득히 몰랐다. 그는 언제나 밤 열 시면 잠자리에 들었는데, 코제트는 그 시간에 맞추어 현관문을 열고 돌계단을 내려갔던 것이다.

그러던 어느 날, 코제트는 우울한 얼굴로 마리우스 앞에 나타났다.

마리우스가 놀라서 물었다.

"왜 그래요?"

"오늘 아침에 아버지가 다른 곳으로 떠날 준비를 하라고 말씀하셨어요."

코제트의 눈에는 눈물이 가득 괴어 있었다.

마리우스는 몹시 낙담했다.

"어디로 가지요?"

"아마 영국으로 갈 모양이에요."

"언제 갔다 언제 올 거죠?"

"그건 몰라요. 머지않아 떠날 것 같아요."

"그럼 나는 이제 어떡해야 되지요?"

마리우스가 화난 목소리로 말했다.

"당신도 영국으로 가면 되잖아요. 어디로 가든 주소를 알려 줄 테니까, 나를 만나러 오면 되지 않겠어요?"

코제트의 말에 마리우스는 고개를 흔들었다.

"나더러 영국으로 오라고요? 돈이 한 푼도 없는데 어떻게 갑니까? 우리 외할아버지는 부자지만, 나는 그분과 사이가 나빠요. 그래서 친구에게 많은 빚을 질 수밖에 없었어요. 코제트, 당신은 밤에만 나를 만나서 모르는 모양인데, 낮에 내 꼴을 본다면 돈이라도 한 푼 던져 주고 싶을 거요."

"미안해요, 마리우스."

코제트는 눈물을 흘렸다.

옆에 있는 나무에 얼굴을 파묻고 있던 마리우스가 갑자기 말했다.

"내일은 내가 어디 가야 할 데가 있으니까, 모레 만나러 올게요."

그리고 무슨 일이 있으면 연락하라면서, 자기의 거처인 쿠르페라크의 집 주소를 알려 주었다.

마리우스가 가야 할 데가 있다고 한 것은 외할아버지 질노르망 씨의 집을 두고 한 말이었다.

그동안 마리우스가 돌아오기만을 기다리고 있던 질노르망은 당장 팔을 벌려 손자를 껴안고 싶었다. 그러나 마음과는 달리 쌀쌀맞은 말이 튀어나왔다.

"뭣하러 왔느냐? 잘못했다고 용서를 빌러 온 거냐?"

"그게 아니라, 결혼 허락을 받으러 왔습니다."

마리우스는 코제트를 만난 일에서부터 최근의 사정까지 모두 이야기했다.

"결혼을 한다고? 스물한 살에! 너 혼자 다 정해 놓고 내게 알리러 왔단 말이냐? 에이, 못된 놈!"

"그 여자는 곧 영국으로 떠납니다. 그녀가 떠나기 전에 결혼을 하고 싶습니다."

"제 잘못을 빌기는커녕 결혼을 한다고?"

마리우스가 아무리 애원해도 질노르망 노인은 막무가내였다.

마침내 마리우스는 자리에서 일어나 모자를 집어 들었다.

"안녕히 계십시오."

질노르망 노인이 벌떡 일어나 그의 뒷덜미를 잡았다.

"이놈, 어디 가느냐?"

"저를 잡지 마세요. 할아버지는 제 행복에는 관심이 없으시다는 걸 알았습니다."

"행복이라고? 길거리에서 만난 여자가 너를 행복하게 해 줄 것 같으냐?"

"할아버지는 5년 전엔 아버지를 모욕하시더니, 이젠 제 아내가 될 사람을 모욕하시는군요. 다시는 할아버지께 부탁하러 오지 않겠습니다."

마리우스는 정중하게 인사를 하고 곧바로 돌아서서 나와 버렸다.

질노르망 노인은 마치 벼락이라도 맞은 듯이 한참 동안 그대로 서 있었다. 그러다가 비틀비틀 일어나 문을 열고 소리쳤다.

"저놈 잡아라! 마리우스! 마리우스!"

그러나 이미 마리우스의 모습은 보이지 않았다.

이틀 후 저녁, 마리우스는 코제트를 만나러 갔다.

그러나 장발장과 코제트는 벌써 떠나고 없었다.

"코제트! 코제트!"

마리우스는 절망하여 미친 듯 소리쳤다.

아무리 불러도 문이 잠긴 집 안에서는 아무 소리도 들리지 않았다. 마리우스는 다리에서 힘이 쭉 빠져 그 자리에 털썩 주저앉았다.

그 때, 한길 숲 쪽에서 누군가 그의 이름을 불렀다.

"마리우스 씨! 거기 계세요?"

마리우스는 벌떡 일어나 소리나는 쪽으로 다가갔다.

"친구들이 모두 샹브를리 거리 바리케이드 옆에서 기다리고 있어요."

그 목소리가 다시 말했다.

그것은 마리우스에게 생소한 목소리는 아니었다. 테나르디에의 큰딸 에포닌의 약간 쉰 듯한 목소리와 아주 비슷했다.

마리우스는 목을 빼고 목소리의 주인공을 찾았다. 젊은 남자같이 보이는 사람이 어둠 속으로 부리나케 숨는 것이 보였다.

쿠르페라크를 비롯한 그의 친구들은 드디어 정부군과 크게 싸울 모양이었다.

코제트가 떠나 버렸으므로, 마리우스는 혁명군 대열에 끼여 싸우다 죽기로 했다.

그 때 거리에서 함성이 들려왔다. 마리우스는 그 소리가 나는 쪽을 향해 성큼성큼 걷기 시작했다.

시 가 전

두 주일 전쯤 장발장은 길에서 우연히 테나르디에를 만났다. 다행히

변장을 하고 있었기 때문에 테나르디에는 그를 알아보지 못했다.

전부터 정원에 침입하는 자가 있는 것 같다는 생각을 하던 터에 테나르디에를 보자, 장발장은 불길한 느낌을 지울 수 없었다.

장발장은 해가 지기를 기다렸다가 플뤼메의 집에서 나왔다. 그 길로 롬 아르메 거리에 있는 집으로 갔다. 그가 미리 장만해 놓았던 세 군데 거처 중의 하나였다.

다음 날, 코제트는 저녁까지 제 방에서 나오지 않았다. 저녁 식사를 차려 놓고 부르자, 건드리지도 않고 바라보다가, 머리가 아프다며 도로 방으로 들어갔다.

식사가 끝난 후, 장발장은 창가를 서성거리며 영국에 갈 생각에 골몰했다.

그러다가 문득 고개를 갸웃거리며 걸음을 멈추었다.

찬장 위에 비스듬히 세워진 거울 앞에서 고개를 갸웃거리며 걸음을 멈추었다. 그 거울 속에서 다음과 같은 몇 줄의 글이 눈에 띄었는데, 분명히 읽을 수 있었다.

사랑하는 당신께!
아버지께서 곧 출발하신답니다. 우리는 오늘 밤 롬 아르메 거리 7번지에 있는 집에서 머물게 됩니다. 그리고 일주일 뒤에는 런던으로 떠나요.

6월 4일 코제트

코제트는 이 곳에 도착했을 때, 압지를 끼운 수첩을 찬장 위 거울 앞에 놓은 채 까맣게 잊어버렸다. 그만큼 상심이 컸던 것이다. 그런데 그것이 활짝 펼쳐져 거울에 비쳤고, 공교롭게도 그 펼쳐진 부분에 어제 그녀가 편지를 쓴 뒤 잉크를 말리려고 눌렀던 압지가 끼워져 있었던 것이다.

갑자기 플뤼메의 집을 떠나기 전, 코제트는 발을 동동 굴렀다. 그러다 마침 울타리 근처에 있던 젊은 사람을 발견하고, 급히 편지를 써서 5프랑을 주며 우체통에 넣어 달라고 부탁했던 것이다.

장발장은 무엇인가로 머리를 한 대 얻어맞은 기분이었다.

'도대체 어느 틈에 이런 일이 있었단 말인가? 코제트는 아직 내 옆에 있지만, 이미 내게서 멀어지고 있었구나.'

장발장은 비틀거리며 찬장 앞의 낡은 안락 의자에 주저앉았다. 세상의 모든 빛이 다 사라지는 것 같았다.

'그 청년이군.'

장발장은 뤽상부르 공원에서 만난 마리우스의 얼굴을 떠올렸다.

그 때, 멀리서 총소리가 들려왔다. 이따금 함성도 들렸다. 시내 여러 곳에서 정부군과 시민군이 충돌하고 있었던 것이다.

생 폴 성당의 종이 11시를 알릴 때, 장발장은 거리로 나섰다.

"아저씨, 7번지가 어디예요?"

한 소년이 장발장에게 다가와서 물었다.

"7번지는 왜?"

그러자 소년은 입을 다물었다. 그 모습에 장발장은 문득 떠오르는 것이 있었다.

"너 혹시 편지를 갖고 온 것 아니냐? 코제트 양에게 보내는 편지 말이다."

"네, 코제트라고 한 것 같아요."

"그 편지 이리 다오. 내가 전하기로 했거든."

장발장의 짐작은 들어맞았다.

"그럼 제가 바리케이드에서 심부름 온 것을 알고 계세요?"

소년은 묻지도 않은 말을 했다.

"물론이지."

시민군은 시내 여러 곳에 의자나 책상, 문짝 따위로 바리케이드를 치고 정부군에 대항하고 있었다. 마리우스는 샹브를리 거리의 바리케이드에 있었다.

소년은 장발장에게 편지를 건네주고 돌아갔다.

장발장은 편지를 가지고 다시 집으로 들어갔다.

　　나는 죽습니다. 당신이 이 글을 읽을 때, 내 영혼은 당신 곁에 가
　　있을 것입니다.

장발장은 마음속으로 환호했다.

'그 밉살스러운 청년이 죽다니! 이제 나는 코제트와 단둘이 아무 방해 없이 살 수 있을 것이다. 나는 그저 가만히 있기만 하면 된다.'

그러나 그는 고개를 저었다.

'그 청년이 죽으면 코제트는 얼마나 슬퍼할까? 코제트의 마음에 깊은 상처가 남는 것이 내게 좋을 까닭이 없지 않은가?'

한 시간쯤 후, 장발장은 방으로 들어가 시민군의 옷으로 갈아입었다. 그는 총알이 잔뜩 들어 있는 탄창과 총을 손에 들고 샹브를리 거리를 향해 걸어갔다.

시민군은 바리케이드를 치고 필사적으로 정부군에 대항하고 있었다. 그러나 시민군은 정부군에 비해 무기도 제대로 갖추지 못했고, 훈련도 제대로 받지 못한 형편이어서 매우 불리한 싸움을 계속하고 있었다. 그

중에 마리우스도 끼여 있었다.

"저건 누구지?"

바리케이드에 있던 한 젊은이가 총을 들고 다가온 노인을 가리키며 물었다.

"내가 잘 아는 분이오."

마리우스의 대답에 사람들은 안심했다.

그 때 그에게는 장발장이 그곳에 나타난 까닭을 궁금하게 여길 만한 마음의 여유가 없었다. 다만 그는 가슴을 죄며 코제트를 생각했다.

장발장 역시 그에게 말도 걸지 않고, 거들떠보지도 않았다. 마리우스도 그런 장발장의 태도가 오히려 마음이 편했다.

해가 지자 샹브를리 거리는 조용해졌다. 그러나 터질 듯한 긴장감이 감돌고 있었다.

시민군은 어떤 건물의 지하실을 본부로 사용하고 있었다.

그 지하실 기둥에 한 사나이가 묶여 있었다. 그는 자베르 경위였다. 정보를 캐기 위해 시민군 사이에 끼어들었다가 잡혔던 것이다.

"뭐, 원하는 거 없나?"

한 젊은이가 그에게 물었다.

"물이나 좀 주게."

젊은이는 컵에 물을 따라 그의 입에 대 주었다.

"밤새도록 이렇게 기둥에 묶어 둘 셈인가? 죽여서 쓰러뜨리든가, 아니면 누워서 잠을 자게 하든가 해 주게."

자베르가 말했다.

그 젊은이는 다른 네 명을 시켜 자베르를 탁자 위에 뉘었다. 그리고 아무리 발버둥쳐도 빠져나가지 못하도록 단단히 밧줄로 묶었다.

탁자에 묶이는 동안, 자베르는 자신을 유심히 바라보는 눈길을 느꼈다. 장발장이었다.

두 사람의 눈길이 마주쳤다.

"그랬었군."

자베르는 대수롭지 않은 듯 중얼거렸다.

날이 밝아 왔다. 그러나 거리에는 문을 연 집이 하나도 없었다. 오가는 사람도 없었다.

이윽고 대포를 앞세운 정부군의 공격이 시작되었다.

시간이 갈수록 시민군의 희생자가 늘어났다. 바리케이드가 포탄을 제대로 막지 못하고 있었다.

"포탄을 막아 낼 수 있는 게 없을까?"

"멍석을 갖다 막아야 해."

그러나 멍석을 구할 수가 없었다.

그런 상태로는 30분도 못 되어 바리케이드가 무너질 것 같았다. 그렇게 되면 그곳의 시민군은 모두 쓰러질 수밖에 없었다.

장발장은 그때까지 전투에 끼어들지 않고, 건물 모퉁이에 혼자 떨어져 앉아 마리우스를 지켜보고 있었다.

"저기 멍석이 있다!"

누군가 소리쳤다.

시민군과 정부군이 마주 보고 있는 거리 중간쯤의 7층 건물 창밖에 멍석이 걸려 있는 것이 눈에 띄었다. 유탄을 막으려고 창밖에다 밧줄로 걸어 놓은 것이었다,

그러나 그것을 가져오는 일이 문제였다. 건물에 접근하려면 정부군의 집중 공격을 당할 것이 뻔했고, 높은 건물에 매달린 멍석을 총으로 쏘아 떨어뜨린다는 것도 쉽지 않았다. 멍석은 두 가닥의 밧줄에 매달려 있었다. 그 밧줄은 마치 머리카락처럼 보였다.

"누구 이연발 총을 좀 빌려 주시오."

장발장의 말에 젊은이들 중의 우두머리가 선뜻 총을 내주었다.

장발장은 앞으로 몇 걸음 나가더니, 7층 건물에 매달린 멍석을 향해 총을 쏘았다. 밧줄 한 가닥이 끊어졌다. 이어서 두 번째 총탄이 발사되었다. 나머지 한 가닥마저 끊어지면서 멍석이 아래로 떨어졌다.

"멍석이 하나 생겼군. 그런데 누가 저걸 가지러 가지?"

이번에도 장발장이 나섰다. 그는 바리케이드의 벌어진 틈으로 빠져나가 빗발치는 총알을 뚫고 달려갔다. 그는 곧 멍석을 등에 지고 돌아왔다. 그리고 그것을 직접 바리케이드에 걸었다.

그와 동시에 정부군의 대포가 불을 뿜었다. 그러나 멍석에 맞은 대포는 위력을 발휘하지 못했다.

"동지여, 공화국은 당신에게 감사드립니다."

시민군 대장이 장발장에게 와서 말했다.

공격은 계속되었다. 정부군은 소총과 대포를 번갈아 가며 쏘아 댔다. 그러나 바리케이드 안은 큰 피해를 입지 않았다.

정부군은 마구 총알을 퍼부어 시민군의 공격을 유도했으나, 시민군은 거기에 넘어가지 않았다. 단 한 발도 쏘지 않고 기다렸던 것이다.

그러자 정부군은 두 대의 대포로 바리케이드를 정면으로 공격하기 시작했다.

"저 대포들을 꼼짝 못하게 해야 할 텐데."

대장은 적의 포병들을 향해 집중 공격을 하게 했다. 오랫동안 가만히 있던 시민군은 일제히 사격을 시작했다. 짙은 연기 사이로 포병의 3분의 2 가량이 쓰러져 있는 것이 보였다.

시민군은 본부인 주점 건물 지하실로 들어갔다.

"이제 곧 정부군이 대대적으로 공격을 해 올 거야. 공격 명령이 떨어

지면, 여섯 명은 다락방과 이층 창문으로 올라가고, 스무 명은 바리케이드로 나가도록."

명령을 내린 후, 대장이 자베르를 돌아보았다.

"당신에 대해서도 잊지 않고 있소. 여기서 마지막으로 나가는 사람이 이자의 머리를 쏘도록 한다."

"아니, 여기서?"

자베르의 말에 누군가 말했다.

"저자의 시체를 우리 동지들의 시체와 섞이게 해선 안 되오. 어디 다른 곳으로 데리고 가서 쏘아 버립시다."

그 말에 대장이 고개를 끄덕였다.

장발장이 그에게 다가갔다.

"저 사나이를 내게 맡겨 주시오."

"좋습니다."

대장은 기꺼이 그의 부탁을 들어주었다.

"습격이다!"

바리케이드 위에서 마리우스가 소리쳤다.

젊은이들은 곧 우르르 밖으로 나가고, 지하실에는 장발장과 자베르만이 남았다.

장발장은 일어서라는 눈짓을 했다. 자베르는 야릇한 미소를 띠며 천천히 일어났다.

잠시 후, 두 사람은 인적이 없는 골목길에서 걸음을 멈추었다. 보고 있는 사람은 없었다. 집들로 가려져 시민군의 눈에도 띄지 않았다.

"자, 이제 얼른 죽여라."

자베르가 말했다.

장발장은 겨드랑이에 권총을 낀 채 말없이 주머니에서 작은 칼을 꺼냈다.

"권총보다는 칼을 좋아하는군. 하기야 너 같은 자에겐 그게 더 잘 어울릴지도 모르지."

자베르는 계속 빈정거렸다.

그러나 장발장은 자베르를 찌르는 대신 밧줄을 끊었다. 먼저 그의 목에 감긴 밧줄이 끊어졌다. 다음에는 손목을 묶은 밧줄이 끊어지고, 마지막으로 몸을 묶은 밧줄이 끊어졌다.

"이제 자네는 자유야."

장발장이 말했다.

웬만한 일에는 놀라지 않는 자베르였지만, 장발장의 그 말에는 놀라서 입을 벌렸다.

"나는 여기서 벗어나지 못하고 젊은이들과 함께 죽을 걸세. 하지만 다행히 빠져 나간다면, 롬 아르메 거리 7번지로 오게. 거기서 포슐르방이라는 이름으로 살고 있네."

"포슐르방? 롬 아르메 거리?"

"7번지야. 그럼 잘 가게."

자베르는 윗도리의 단추를 끼우고 돌아섰다. 그리고 양어깨에 힘을 준 채 걸어가다가 갑자기 돌아서서 말했다.

"이건 나를 괴롭히는 거야. 차라리 죽여 줘."

"어서 가게."

자베르는 천천히 걸어서 모퉁이로 돌아갔다.

그의 모습이 보이지 않게 되었을 때, 장발장은 공중에 대고 총을 한 방 쏘았다. 그리고 나서 바리케이드로 돌아와 대장에게 말했다.

"해치웠소."

옆에 있던 마리우스가 대장에게 물었다.

"그의 이름이 뭐지?"

"누구 말인가?"

"생포했던 경찰관 말이야."

"자베르."

마리우스는 재빨리 장발장의 표정을 살폈다. 하지만 장발장은 그를 보고 있지 않았다.

삶과 죽음

마침내 북이 울리며 공격 명령이 내려졌다. 정부군은 성난 파도처럼 시민군을 향해 달려왔다.

시민군은 맹렬하게 사격을 가했다. 정부군이 바리케이드로 기어오르자, 그들은 마치 사자가 개를 흔들어 떨쳐 버리듯 했다. 그러나 정부군은 다시 기어올랐다. 시민군은 다시 정부군을 떨쳐 냈다.

이윽고 시민군의 탄약이 바닥을 드러내기 시작했다. 바리케이드 안에는 마치 눈이라도 내린 듯 탄피가 수두룩했다. 그런 상황에서도 시민군은 정부군이 바리케이드에 오르는 것을 무려 열 차례나 막았다.

총을 쏘고, 칼을 휘두르고, 멀리서, 가까이서, 위에서, 아래에서, 지붕에서, 창문에서, 지하실 환기창에서 그들은 닥치는 대로 싸웠다.

시민군은 차례로 쓰러져 갔다. 바리케이드의 한쪽 끝에는 대장이, 다른 쪽 끝에는 마리우스가 있었다. 마리우스는 포탄 속에서도 제 자리를 지키고 있었다. 그는 공격하는 정부군의 뚜렷한 목표가 되어 있었다.

바리케이드의 중심부가 무너지면서 정부군의 총공격이 시작되었다. 시민군은 뿔뿔이 흩어져 후퇴하기 시작했다.

그들은 7층 집으로 몰려갔다. 그러나 문은 닫혀 있었다. 그들은 살기 위하여 문을 두드리다가 총을 맞고 쓰러졌다.

그 집 앞에서 정부군과 시민군 사이에 백병전이 벌어졌다. 이제 싸움은 정부군의 승리 쪽으로 기울어진 채 거의 끝나 가고 있었다.

마리우스는 아직 살아 있었지만, 부상을 당해 온몸이 피투성이였다. 특히 머리를 심하게 다쳐 마치 붉은 수건을 얼굴에 뒤집어쓰고 있는 듯했다.

어디선가 날아온 총탄이 마리우스의 어깨에 박혔다. 순간, 그는 정신을 잃고 쓰러졌다.

장발장이 재빨리 그의 몸을 두 팔로 받았다. 그리고 힘없이 늘어진 마리우스를 어깨에 둘러메고 그 곳을 벗어났다.

그는 바리케이드에 나가 있었지만 싸움에 참가하지는 않았다. 대신 부상자들을 돌보았다. 그러면서도 그는 줄곧 마리우스에게서 눈을 떼지 않았다. 그러다 마리우스가 총을 맞는 순간 비호처럼 달려가 그를 부축한 것이다.

장발장은 막막한 심정에 한숨을 쉬었다. 사방이 정부군에게 둘러싸여 빠져 나갈 길이 보이지 않았다.

장발장은 마리우스를 땅바닥에 내려놓고 주위를 둘러보았다. 무너져 내린 건물 흙더미 밑에 쇠격자가 보였다. 그것은 하수도 입구였다.

그는 흙더미를 치우고 쇠격자를 들어올렸다. 그런 다음, 마리우스를 둘러멘 채 구멍 속으로 들어갔다.

파리의 하수도는 죽음의 굴로 알려져 있다. 발을 잘못 디뎌 빠지면 헤어나기 힘들기 때문이다.

구정물을 첨벙거리며 30분쯤 걷다 보니, 멀리 별처럼 반짝이는 것이 보였다. 그 빛 뒤에서 검고 희미한 그림자 10여 개가 흔들리고 있었다. 사람들의 말소리도 들렸다. 하수도 수색 명령에 따라 들어온 경찰들이었다. 장발장은 걸음을 멈추고 어둠 속에서 죽은 듯이 서 있었다.

수색 경찰들은 장발장이 있는 곳의 입구에서 머뭇거리고 있었다. 통로가 너무 좁았기 때문이다.

이윽고 경찰들이 밖으로 나가는 소리가 들렸다. 만약 그들이 두 편으로 갈라져 좀더 깊이 들어왔더라면, 장발장은 꼼짝없이 잡혔을 것이다.

장발장은 쉬지 않고 걸었다. 차츰 걷기가 힘들어졌다. 둥근 천장의 높이가 고르지 않았으므로, 마리우스가 부딪치지 않도록 몸을 구부리는 바람에 더욱 힘들었다.

하수도에서 나는 냄새는 지독했다. 그는 가끔 환기통 앞에서 밖의 맑은 공기를 들이마셨다. 그는 너무 지쳤으므로, 잠깐 쉬기 위해 평평한 받침돌 위에 마리우스를 내려놓았다. 마리우스의 눈은 감겨 있었고, 관자놀이 부근에 피 묻은 머리카락이 엉겨붙어 있었다. 입술 한쪽에도 피가 말라붙어 있었다. 손발은 차고, 두 팔은 아래로 축 늘어져 있었다. 상처에서는 쉴새없이 피가 흐르고 있었다.

가슴에 손을 대 보니 심장은 뛰고 있었다. 장발장은 셔츠를 찢어서 상처난 부분을 단단히 묶어 출혈을 막았다.

마리우스의 옷에서 두툼한 물건의 부피가 느껴졌다. 장발장은 그것들을 꺼내 보았다. 작은 수첩과 빵이었다.

그는 빵을 먹은 다음, 환기통 밑으로 가서 수첩을 펴 보았다. 수첩에는 다음과 같은 글이 적혀 있었다.

내 이름은 마리우스 퐁메르시오. 내 시체는 마레의 피유 뒤 칼베르 거리 6번지에 사는 나의 외할아버지 질노르망 씨에게 보내 주시오.

얼마 동안 쉬면서 기운을 차린 다음, 장발장은 다시 마리우스를 등에
업고 걷기 시작했다.

이따금 만나는 빛이 엷어지는 것을 보면서, 장발장은 해가 기울고 있
다는 것을 알았다. 또 머리 위에 마차 소리가 뜸해지다가 마침내 들리
지 않는 것으로 파리의 중심지에서 벗어난 것을 알았다. 그는 어둠 속
을 손으로 더듬으며 계속 나아갔다.

어느 순간, 몸이 아래로 쑥 빠지는 느낌이 들었다. 진흙 구덩이였다.
진흙은 무릎까지 왔고, 물은 허리 위까지 차올랐다. 그래도 앞으로 나갈
수밖에 없었다.

장발장은 점점 깊이 빠져들어갔다. 이제 물 밖으로 나와 있는 것은
마리우스를 받쳐 들고 있는 그의 팔뿐이었다. 그런 상태에서도 그는 안
간힘을 쓰며 걸었다.

한참을 가다 보니 발밑에 무엇인가 밟혔다. 발판이었다.

그는 온 힘을 다해 그 발판을 디디고 앞으로 나아갔다. 그것은 경사진 벽의 끄트머리에 잇닿아 있는 발판이었다. 마치 천국으로 가는 계단과 같았다.

몸은 얼음장처럼 차갑고, 고약한 냄새 때문에 숨쉬기가 힘들었다. 그러나 그는 서너 걸음 걷고 쉬고, 서너 걸음 걷고 쉬었다.

그렇게 백 걸음쯤 가자 멀리서 한 줄기 빛이 보였다. 햇빛이었다. 마침내 출구에 도착한 것이다. 이젠 피곤하지도 않았다. 어깨에 멘 마리우스도 무겁지 않았다. 그는 달리다시피 하여 출구로 갔다.

아치 형의 철책인 출구는 닫혀 있었다. 게다가 큰 돌만한 자물쇠가 걸려 있었다.

장발장은 마리우스를 내려놓고 철책을 흔들어 보았다. 그러나 그렇게 해서 열릴 문이 아니었다.

그는 그 자리에 주저앉았다. 그리고 두 무릎 사이에 얼굴을 파묻었다. 이제 모든 것이 끝장이었다. 그는 깊은 절망 속에서 코제트를 생각했다.

그 때 누군가 그의 어깨에 손을 얹으며 낮은 목소리로 말했다.

"우리 반씩 나누지."

장발장은 깜짝 놀라 고개를 들었다. 작업복을 입고 구두를 손에 든 사나이가 눈앞에 서 있었다. 아마 소리내지 않고 접근하기 위해 구두를 벗은 것 같았다.

장발장은 얼굴을 옆으로 돌렸다. 사나이는 다름 아닌 테나르디에였다. 진흙과 구정물을 뒤집어쓰고 있어서인지, 다행히 테나르디에는 장발장을 알아보지 못했다.

"여기서 나갈 수 있다고 생각하나? 열쇠가 없으면 안 되겠지?"

장발장이 영문을 몰라 잠자코 있자, 그가 말을 이었다.

"당신이 누군지는 모르지만 도와주겠다는 거야. 난 열쇠를 가지고 있거든. 당신이 이 사나이를 왜 죽였는지는 묻지 않겠어. 다만 나는 이 시체의 주머니가 궁금하단 말이야. 주머니에 든 돈을 반씩 나누지 않겠나?"

장발장은 비로소 테나르디에의 말을 이해했다. 그는 장발장을 살인자로 알고 있었던 것이다. 그는 어디서 훔쳐 왔는지 커다란 열쇠를 손에 들고 있었다.

장발장은 주머니를 뒤져 돈을 꺼내 놓았다. 루이 금화 한 닢과 2프랑짜리 은화 두 닢 등 모두 30프랑 정도 되었다.

테나르디에는 장발장의 주머니와 마리우스의 주머니까지 뒤졌다. 돈은 더 이상 나오지 않았다.

테나르디에는 마리우스 옷자락의 천을 뜯어서 제 주머니에 재빨리 집어 넣었다. 장발장은 얼굴을 보이지 않으려는 데만 정신이 팔려 있어서 그의 이상한 행동을 눈치채지 못했다.

"겨우 이것뿐이야?"

테나르디에는 투덜거리면서도 약속대로 문을 열어 주려고 철책 쪽으로 다가갔다. 그는 문 앞에서 잠시 바깥 동정을 살피더니, 이내 열쇠를 자물쇠에 꽂았다.

'철컥!' 하는 소리와 함께 드디어 문이 열렸다. 테나르디에는 장발장이 나갈 수 있을 만큼만 문을 열어 주었다.

장발장은 밖으로 나왔다. 철책은 다시 닫혔다. 테나르디에는 자물쇠를 채우고 다시 하수도 속으로 사라졌다.

해가 지고 있었다. 발 아래에는 강물이 흐르고 있었다. 장발장은 손으로 물을 떠서 마리우스의 머리에 끼얹었다. 마리우스는 깨어나지 않았으나, 조금 벌어진 입으로 숨을 쉬고 있음을 알 수 있었다.

그 때 뒤쪽에서 인기척이 났다. 장발장은 얼른 뒤를 돌아보았다. 긴 프록코트를 입은 키 큰 사나이가 납덩이가 달린 곤봉을 든 채 서 있었다. 장발장은 곧 그가 자베르라는 것을 알아차렸다.

자베르는 테나르디에를 쫓고 있었다.

장발장 덕분에 목숨을 건진 그는 경찰서로 돌아가 보고를 하고, 곧 자신의 임무를 수행하기 시작했다. 그에게는 센 강 오른쪽 샹젤리제 부근을 감시하는 임무가 주어졌다. 그 곳에서 테나르디에를 발견하고 뒤를 밟아 왔는데, 하수도 입구에서 사라진 것이었다.

테나르디에는 탈옥을 하여 강도짓을 하다가 자베르에게 쫓기고 있었다. 그런데 재주 좋게 하수도 속에 숨어 위기를 모면한 것이다.

"누구냐?"

테나르디에와 마찬가지로 자베르도 장발장을 알아보지 못했다.

"날세."

"나라니?"

"장발장일세."

자베르는 비로소 장발장의 얼굴을 유심히 들여다보았다. 그의 눈이 날카롭게 빛났다.

"생각보다 빨리 걸려들었군."

자베르가 말했다.

"만약 도망칠 생각이었다면 자네에게 주소를 가르쳐 주지 않았을 거야. 나는 어차피 오늘이 내 인생의 마지막이라고 생각했으니까."

"여기서 뭘 하고 있는 거지? 그리고 저 사람은 누구요?"

"날 체포하기 전에 우선 이 사람을 집에 데려다 주는 걸 도와주게. 그 다음엔 자네 마음대로 하게."

자베르는 마리우스를 자세히 살펴보았다.

"바리케이드에 있던 녀석이군."

"부상을 당했다네."

"죽었군."

"아니, 아직 안 죽었어."

장발장은 마리우스의 주머니에서 수첩을 꺼내 내밀었다.

"피유 뒤 칼베르 6번지, 질노르망 씨라……."

자베르는 수첩에 적힌 것을 읽었다. 그리고 강둑을 향하여 소리를 질러 마차를 불렀다.

곧 마차가 내려왔다. 마리우스를 뒷좌석에 태우고 두 사람은 앞에 탔다. 마차는 강변을 달렸다.

질노르망 노인의 집에 도착할 때까지 자베르와 장발장은 한 마디도 하지 않았다. 자베르는 돌과 같고 장발장은 그림자와 같았다.

마차가 피유 디 칼베르 6번지에 도착했을 때는 이미 날이 완전히 어두워져 있었다.

자베르는 먼저 마차에서 내려 주소를 확인하고 문을 두드렸다.

곧 문지기가 촛불을 들고 나왔다.

"질노르망 씨 댁인가?"

자베르가 물었다.

"그렇습니다."

"사람을 데리고 왔네."

"누굽니까?"

문지기가 촛불을 마리우스의 얼굴 가까이에 댔다.

"마리우스."

장발장이 대답했다.

"죽었습니까?"

장발장은 고개를 흔들었다.

그들은 마리우스를 문지기에게 넘겨 주고 다시 마차를 탔다.

"자베르 경위, 내 부탁을 한 가지만 더 들어 주게."

장발장이 말했다.

"뭐요?"

자베르가 무뚝뚝하게 물었다.

"집에 잠깐 들르게 해 주게. 그런 다음에는 자네 마음대로 하게."

자베르는 프록코트의 깃에 턱을 묻고 가만히 있었다. 마음의 갈피를 못 잡는 듯했다. 그러나 그는 곧 앞에 있는 작은 창문을 열었다.

"마부! 롬 아르메 거리 7번지로!"

마차는 장발장의 집을 향해서 달려갔다.

장발장은 시작한 일을 매듭짓고 싶었다. 코제트에게 마리우스가 있는 곳도 알려 주고, 그 밖에 도움이 될 만한 말을 해 주려는 것이었다. 그리고 가능하다면 자신의 일도 마지막으로 정리하고 싶었다.

롬 아르메 거리는 마차가 다니기에 너무 좁았으므로, 그들은 거리 입구에서 마차를 내렸다. 자베르는 마부에게 마차삯을 치렀다. 그런 다음, 장발장을 앞세워 걸었다.

이윽고 집 앞에 이르렀다.

"들어가 보시오. 여기서 기다리고 있겠소."

자베르가 말했다.

장발장은 문을 열고 천천히 계단을 올라갔다.

장발장의 모습이 보이지 않게 되자, 자베르는 천천히 롬 아르메 거리를 떠났다.

그는 고개를 푹 숙인 채 뒷짐을 지고 걸었다. 센 강으로 가는 지름길이었다.

이윽고 자베르는 노트르담 다리에 이르렀다. 그는 다리 난간에 기대어 깊은 생각에 잠겼다. 그의 마음속에서는 사랑과 미움, 양심과 임무가 뒤섞여 소용돌이치고 있었다.

평생 한 길로만 오다가 갑자기 두 갈래 길을 만난 기분이었다. 장발장을 놓아 준 것은 공적인 임무를 저버린 짓이었다. 그는 장발장이 자신을 놓아 준 것보다 자신이 장발장을 놓아 준 것에 더욱 당황했다.

어떻게 하는 것이 옳은가. 장발장을 다시 넘길 것인가. 그것은 옳지 않은 일이었다. 그렇다면 그를 자유롭게 놓아 줄 것인가. 그것도 옳지 않은 일이었다.

아무튼 자베르는 롬 아르메 거리를 떠났다. 평생을 통해 변치 않던 그의 신념이 장발장 앞에서 힘없이 무너져 내린 것이다.

자베르는 그런 자신을 용서할 수 없었다. 고개를 숙여 다리 밑을 보앞다. 물살이 다리를 휘감아 돌며 소용돌이치고 있었다. 그는 모자를 벗어 강둑에 놓은 다음, 다리 난간 위로 올라섰다. 그리고 어두운 강물 속으로 곧장 떨어져 내렸다.

어둠의 끝

마리우스는 죽은 듯이 침대에 누워 있었다.

가슴의 상처와 입가에 엉겨 있는 핏자국, 꼭 감은 두 눈을 보고 집안 사람들은 절망에 빠졌다.

"아니, 이게 무슨 일이야!"

마리우스를 어렸을 때부터 키워 준 이모가 누구보다도 슬퍼했다.

의사는 마리우스의 맥이 아직 뛰고 있으며, 가슴의 상처가 깊지 않다고 말했다. 그리고 입가에 엉겨 있는 피는 코에서 나온 것이라고 말했다.

이모는 의사가 응급 조치를 하는 동안 자기 방으로 돌아가 기도를 드렸다.

의사는 집안 사람들에게 마리우스의 상태를 어떻게 설명해야 할지 몰라 망설였다.

옆구리의 상처는 가슴을 맞힌 총알이 윗주머니에 든 수첩 때문에 힘이 약해져 빗나가면서 난 것이었다, 어깨뼈가 부러지고, 두 팔에도 여기저기 칼에 찔린 상처가 있었다.

무엇보다도 머리의 상처가 위험했다. 겉으로만 상처가 난 것인지, 아니면 뇌에까지 영향을 미친 것인지 알 수 없었다. 더구나 피를 많이 흘린 터였다.

그 때까지 질노르망 씨는 잠들어 있었다. 놀랄까 봐 일부러 깨우지 않은 것이다.

그런데 잠결에도 심상치 않은 분위기를 느꼈는지 노인이 스스로 일어났다.

방문을 열고 나온 질노르망 씨는 객실에 누워 있는 마리우스를 보고 깜짝 놀랐다.

"마리우스!"

질노르망 씨는 온몸을 부르르 떨었다.

"어떤 사람이 도련님을 마차에 태워 가지고 왔습니다. 바리케이드에 계시다가 그만……."

하인이 얼른 말했다.

"죽었구나! 못된 놈. 내게 복수를 하느라고 그런 거야!"

질노르망 씨는 무섭게 고함을 질렀다.

그는 창가로 가서 창문을 열어젖히고 밖을 향하여 소리치기 시작했다.

"내가 제놈을 얼마나 기다렸는데! 제 방을 정돈해 놓고, 어렸을 때 사진을 머리맡에 갖다 놓고 돌아올 때만을 기다렸는데! 아, 그냥 돌아오기만 하면 되는 것을! 돌아와서 그저 '접니다' 하고 한 마디만 하면 되는 것을! 그러면 난 이 집을 제놈에게 맡기고 편히 눈을 감을 텐데!"

의사가 다가와서 노인을 부축했다.

"나는 아무래도 좋소. 지금까지 온갖 일을 다 겪었으니까."

질노르망 씨는 마리우스 곁으로 다가갔다.

"그런데 이 파리 안에서 이 불쌍한 놈을 행복하게 해 줄 여자가 하나도 없었다니! 바보 같은 놈이 인생을 즐기려 하지도 않고 싸움터에 나가 짐승처럼 맞아 죽었단 말인가! 세상의 어머니들은 귀여운 사내

아이를 자꾸 낳는 게 좋아! 자기 자식들이 들판에서 죽어 까마귀 밥이 되는 줄 알면 내 말대로 하겠지. 이 나쁜 놈, 너도 이렇게 죽으면서 할아버지 생각을 하지 않았으니, 나도 네 죽음을 슬퍼해 주지 않을 테다!"

그 때, 마리우스가 조용히 눈을 떴다. 혼수 상태에서 막 깨어난 그는 흐릿한 눈빛으로 질노르망 씨를 바라보았다.

"마리우스! 마리우스! 내 새끼! 귀여운 내 새끼! 눈을 떴느냐? 나를 보고 있구나! 살아 있구나! 고맙다!"

그리고 그는 기절했다.

마리우스는 오랫동안 사경을 헤맸다. 몇 주일 동안 높은 열이 계속되고, 헛소리를 했다. 상처가 덧나 곪기도 했다.

"특히 환자가 흥분하지 않도록 조심해야 합니다."

의사는 거듭 강조했다.

그 동안 질노르망 씨는 마리우스의 머리맡에 붙어 앉아 있었는데, 손자와 마찬가지로 거의 죽어 가는 것처럼 보였다.

그런데 문지기의 말에 의하면, 백발의 차림새가 훌륭한 신사가 날마다, 때로는 하루에 두 번씩 환자의 상태를 묻고 치료하는 데 사용하라면서 큰 가제 꾸러미를 놓고 간다고 했다.

그로부터 넉 달이 지난 9월 7일, 의사는 비로소 위험한 고비를 넘겼다고 자신 있게 말했다.

그러나 으스러진 어깨뼈 때문에 두 달 정도 더 누워 있어야 한다고 말했다.

의사로부터 마리우스가 위험한 고비를 벗어났다는 말을 듣던 날, 질노르망 씨는 기뻐서 어쩔 줄 몰라했다.

마리우스가 음식을 먹기 시작하자, 질노르망 씨가 다정하게 말했다.

"마리우스, 내가 너라면 이제는 생선보다 고기를 먹겠다. 넙치 튀김도 좋지만, 빨리 회복되려면 송아지 갈비를 먹어야 한다."

마리우스는 안간힘을 써 몸을 일으켰다.

"말씀드릴 게 있습니다, 할아버지."

"뭐냐?"

"결혼하고 싶습니다."

"알고 있다."

질노르망 씨는 고개를 끄덕이더니 웃음을 터뜨렸다.

"네, 아신다고요?"

"그렇고말고. 그 아가씨를 데려오너라."

마리우스는 어안이벙벙하고 당황하여 몸을 떨었다.

"그래, 네 귀여운 아가씨를 데려오너라. 날마다 어떤 노인이 와서 네 용태를 알아보고 돌아갔지. 그 아가씨가 보낸 거야. 네가 다친 뒤로는 줄곧 울면서 가제를 만들었다더라. 내가 다 알아보았다. 롬 아르메 7번지에 살고 있지? 진작 그 아가씨를 네 옆에 데려다 놓으려고 했는데, 의사가 막았지. 아름다운 아가씨는 열을 내리게 하는 약은 아니라나? 이제는 네 마음대로 하렴. 그래, 어서 코제트를 데려오너라. 그리고 결혼해서 행복하게 살아라. 내 귀여운 새끼!"

질노르망 씨는 눈물을 글썽거리며 마리우스를 가슴에 안았다.

"할아버지!"

마리우스의 눈에도 눈물이 괴었다.

코제트가 마리우스의 방으로 들어섰다. 방 안에는 질노르망 씨를 비롯하여 온 집안 사람들이 모여 있었다.

마침 그 때 질노르망 씨는 코를 풀려 하고 있었다. 그는 갑자기 그 손을 멈추고, 코를 손수건으로 누른 채 코제트를 쳐다보며 소리쳤다.

"훌륭하구나!"

코제트를 따라 들어온 백발의 노인도 엷은 미소를 짓고 있었다. 그 노인은 포슐르방, 즉 장발장이었다. 그는 옆구리에 책 같은 것을 싼 꾸러미를 끼고 있었다.

인사를 나눈 뒤, 질노르망 씨가 말했다.

"트랑슐르방 씨……."

남의 이름에 신경쓰지 않는 것은 그의 버릇의 하나였다.

"네."

포슐르방이 대답했다.

"내 손자 마리우스 퐁메르시 남작을 위해, 댁의 따님에게 청혼하게 된 것을 명예롭게 생각합니다."

장발장은 가볍게 고개를 숙였다.

"이것으로 결정되었다. 서로 깊이 사랑할 것을 허락한다."

질노르망 씨가 두 팔을 벌려 축복하며 외쳤다.

코제트가 마리우스 곁으로 다가가 낮은 목소리로 말했다.

"아아, 당신을 다시 만나다니, 너무 기뻐요! 그런데 당신은! 어쩌면 사람이 그렇게 짓궂지요? 내가 뭘 잘못했나요? 말 한 마디 없이 전쟁터에 나가 버리다니! 이번만은 용서해 드릴 테니, 다음부터는 그러지 마세요. 당신이 다쳤다는 소리를 듣고 얼마나 울었는지 몰라요. 요즘은 당신을 위해 가제를 만들고 있어요. 보세요, 손가락에 못이 박혔죠?"

"아, 나의 천사여!"

마리우스는 코제트의 손을 꼭 잡았다.

"정말 예쁘다! 참으로 예뻐! 마치 그뢰즈(18세기 프랑스의 화가)의 그림 같아. 코제트, 아직 어린데도 의젓한 귀부인 티가 나는구나. 그런데 한 가지 안타까운 일이 있다. 내 재산의 절반 이상은 종신 연금으로 되어 있다. 내가 살아 있는 동안은 그럭저럭 살 수 있지만, 내가 죽는다면 가엾게도 너희들은 한 푼도 없는 신세가 된다. 남작 부인의 아름다운 손도 생활에 찌들어 거칠어지겠구나."

질노르망 씨가 코제트 쪽을 보며 말했다.

그 때, 장발장이 조용한 목소리로 말했다.

"외프라지 포슐르방 양은 60만 프랑의 지참금을 갖고 있습니다."

그는 그 때까지 입을 다물고 있었기 때문에 아무도 그가 그 곳에 있다는 것을 의식하지 못했었다.

"외프라지 양이라니, 그게 누굽니까?"

질노르망 씨가 물었다.

"저예요."

코제트가 대답했다.

"60만 프랑!"

"아마 거기서 1만 4, 5천 프랑은 모자라겠지만 말입니다."

장발장은 옆구리에 끼고 있던 종이 꾸러미를 탁자 위에 내려놓았다.

꾸러미를 풀자 지폐 다발이 나왔다.

"거 참 유익한 책이군!"

질노르망 씨가 감탄했다.

"58만 4천 프랑!"

마리우스의 이모가 중얼거렸다.

"마리우스 녀석, 솜씨 좋게 백만장자의 딸을 골랐군!"

질노르망 씨도 기가 꺾이는 듯한 얼굴이었다.

길게 설명할 것도 없이 그 돈은 몽페르메유 숲 속에 묻어 두었던 것이었다.

원래는 63만 프랑이었는데, 그 후 1833년까지 10년 동안 조금씩 쓰고 남은 것이 58만 4천 5백 프랑. 그 중 5백 프랑을 자기 몫으로 떼어놓고 58만 4천 프랑을 몽땅 내놓은 것이다.

뿐만 아니라, 장발장은 코제트의 신분을 떳떳하게 만들어 주기로 했다. 그래서 수녀원 정원지기였던 포슐르방의 딸로 만들고, 자신은 고아인 그녀의 친척으로 해 놓았다. 그리하여 코제트는 법률상 외프라지 포슐르방이 되었으며, 장발장 자신은 후견인이 되었다.

58만 4천 프랑에 대해서는 이름을 밝히기를 원하지 않는 어떤 사람이 죽으면서 코제트에게 남긴 유산으로 해 놓았다.

그 돈은 결혼 전날 질노르망 씨가 있는 자리에서 마리우스에게 전달되었다.

결혼식 며칠 전, 장발장은 오른손 엄지손가락을 다쳤다. 대단한 상처는 아니었으나, 어깨에 끈을 매고 팔을 고정시켜야 했다. 따라서 결혼계약서에 서명하는 일은 질노르망 씨가 코제트의 후견 감독인이 되어대신 해 주었다.

1833년 2월 16일, 마리우스와 코제트는 질노르망 씨의 집에서 결혼식을 올렸다.

결혼식이 끝난 후, 모두들 식당으로 향했다.

"아버지, 만족하세요?"

코제트가 장발장에게 물었다.

"암, 만족하고말고."

장발장이 말했다.

"그러세요? 그럼 웃으세요."

장발장은 웃어 보였다.

그러나 장발장은 식당에서 피로연이 벌어지기 전에 그 곳을 떠났다.

"포슐르방 씨가 어디 계시는지 아느냐?"

장발장의 자리가 빈 것을 보고, 질노르망 씨가 하인에게 물었다.

"네, 그분은 손의 상처 때문에 만찬에 참석하실 수 없다면서 자리를 뜨셨습니다. 나리께 용서해 달라는 말씀을 전하라고 분부하시고 지금 막 가셨습니다."

그 바람에 잠시 잔치 분위기가 가라앉는 듯했으나, 질노르망 씨가 두 사람 몫을 도맡아 흥을 돋우었다.

장발장은 롬 아르메 거리의 집으로 갔다.

집 안은 텅 비고, 창문은 모두 열려 있었다. 장발장은 촛불을 켜들고 계단을 올라갔다.

그는 코제트의 방으로 들어갔다. 방 안에 남아 있는 것이라고는 커다란 가구와 사면의 벽뿐이었다. 코제트가 아끼던 자질구레한 소지품들은 이미 가지고 갔기 때문이다.

장발장은 팔에 걸었던 띠를 풀어 버리고 자기 방으로 갔다.

장발장의 침대 위에는 작은 가방이 놓여 있었다. 그는 그 가방을 열고, 안에서 옷들을 꺼냈다. 10년 전 코제트가 몽페르메유를 떠날 때 입었던 검은 옷들이었다. 원피스, 목도리, 구두, 짧은 웃옷, 속치마, 앞치마, 털양말 모두가 검은 색이었다.

장발장은 고개를 숙여 옷 속에 얼굴을 파묻었다. 그리고 흐느껴 울었다.

다음 날, 장발장은 질노르망 씨의 집으로 갔다. 하인이 그를 객실로 안내했다.

"퐁메르시 군은 일어났나?"

"남작님 말씀입니까?"

이제 마리우스는 남작으로 불리고 있었다.

마리우스와 코제트는 아직 자고 있었다.

하인이 마리우스를 깨우러 간 사이 장발장은 창 밖을 내다보았다. 그의 얼굴은 창백했고, 눈은 움푹 들어가 있었다. 그는 며칠째 음식을 입에 대지 못했고, 잠도 제대로 못 잤다.

이윽고 마리우스가 나왔다.

"아, 오셨군요."

그의 얼굴은 밝게 빛나고 있었다.

"손은 괜찮으십니까?"

"손은 아무렇지도 않아."

그렇게 대답함으로써 장발장은 이야기를 시작할 수 있었다.

"손가락을 다쳤다고 한 것은 위증을 하지 않기 위해서였어. 난 포슐르방이 아니라, 장발장이라는 전과자거든. 교도소에서 오래 살았지."

마리우스의 얼굴은 놀람과 충격으로 일그러졌다.

"처음엔 빵 한 조각을 훔친 죄로 교도소에 들어갔네. 그 후 여러 번 탈옥을 시도했다가 실패하여 19년 동안 감옥살이를 했지. 그 뒤엔 무기 징역을 선고받았고."

"믿을 수가 없습니다."

"난 코제트의 아버지가 아니야. 파브롤에서 나뭇가지 치는 일을 하던 장발장일세. 코제트는 고아야. 그래서 보호자가 필요했지. 그 애는 자신은 물론 나에 대해서도 거의 아는 것이 없네. 내가 신분을 숨기고 사는 한, 아무 이야기도 해 줄 수가 없었거든. 이제는 자네의 아내가 되었으니, 자네는 알 권리가 있지."

"그렇다면 그 돈은 어떻게 된 거죠?"

마리우스가 물었다.

"그 60만 프랑은 내가 맡아 두었던 돈일세. 어떻게 맡게 되었는지에 대해서는 알려고 하지 말게."

장발장은 자기의 지난 이야기와 코제트를 데리고 살았던 9년 동안의 이야기를 숨김 없이 털어놓았다.

마리우스는 몹시 혼란스러운 표정이었다.

"도대체 왜 그런 말씀을 하시는 겁니까? 그냥 비밀로 할 수도 있었을 텐데……."

"정직해지고 싶어서일세. 내가 계속 포슐르방으로 산다면 겉으로는 행복하겠지. 하지만 영혼은 저 밑바닥 어둠 속에 있을 걸세."

장발장의 목소리는 가늘게 떨렸다.

"아, 불쌍한 코제트! 이 사실을 알게 된다면……."

마리우스의 말에 장발장은 깜짝 놀랐다.

"코제트에게 말할 생각인가? 그러지 말게! 자네 혼자만 알고 있게. 그 아이가 알면 몹시 놀랄 거야."

장발장은 쓰러질 듯 의자에 주저앉아 두 손으로 얼굴을 가렸다. 어깨가 떨리는 것으로 보아 울고 있는 것 같았다.

"안심하십시오. 코제트에겐 말하지 않고 제 가슴에만 묻어 두겠습니다."

"자네는 내가 다시는 코제트를 만나지 않는 게 좋다고 생각하나?"

"무슨 말씀입니까? 코제트가 기다릴 텐데, 매일 저녁 오십시오."

그러면서 마리우스는 장발장의 손을 잡았다.

"고맙네."

그 후로 장발장은 매일 저녁 코제트를 만나러 왔다.

"아버지는 어째서 저와 함께 살지 않으시는 거죠? 제가 미워지셨나요?"

코제트가 자꾸 그렇게 말했으므로, 어느 날 장발장은 정색을 하고 말했다.

"앞으로는 나를 아버지라고 부르지 마라. 그냥 장이라고 해."

"아버지라고 하지 말라고요? 그럼 저는 코제트가 아닌가요? 장이라뇨? 도대체 무슨 영문인지 모르겠어요. 아버지가 원래 괴팍하신 줄은 알아요. 그렇지만 저를 속상하게 하고 슬프게 하진 마세요."

희미한 어린 시절의 일 중 코제트가 가장 뚜렷하게 기억하는 것은 테나르디에 부부에게 학대받던 일이다. 코제트는 그 지옥에서 장발장이 자기를 구해 준 것도, 어머니가 세상을 떠났다는 것도 잘 알고 있었다.

장발장은 때때로 코제트에게 어머니 이야기를 해 주었고, 그녀는 얼굴도 모르는 어머니를 위해 아침 저녁으로 기도했다.

아무튼 코제트는 자기를 키워 준 장발장을 존경하고 사랑했다. 그런데 왜 이제 와서 딴 사람인 체하는지, 아버지와 딸의 인연을 끊으려 하는 것은 아닌지 의심스럽고, 놀랍고, 슬퍼서 어쩔 줄을 몰라했다.

"아버지는 절 괴롭히기 위해서 이러시는 거죠? 제가 행복해지는 게 싫으세요?"

그 말에 장발장은 충격을 받았다.

"네 행복, 그것이 내 평생의 목적이었다. 코제트, 이제 넌 행복해졌다. 그러니 내 할 일은 끝났다."

장발장은 마치 고해성사를 하듯 고개를 푹 숙인 채 말했다.

그렇게 몇 주일이 지나가는 동안 장발장은 마리우스에 의해 서서히 내몰리고 있는 듯한 느낌이 들었다. 그는 될 수 있으면 장발장과 마주

치지 않으려 했다.

어느 날, 언제나 코제트를 만나 이야기를 나누는 아래층 방에 들어간 장발장은 호되게 한 대 얻어맞은 듯한 충격을 받았다. 의자가 싹 치워졌던 것이다. 안락 의자는 물론 보통 의자도 없었다.

장발장은 힘없이 밖으로 나왔다.

그 후로 장발장은 코제트에게는 여행을 간 것으로 하고 일주일이 넘도록 집에 틀어박혀 있었다.

"아무것도 안 먹고 누워만 있으니, 얼마 못 살 것 같아요. 무슨 걱정거리가 있나 봐요. 아무래도 딸이 시집을 잘못 간 모양이에요."

문지기의 마누라가 남편에게 말했다.

"부자라면 의사에게 보이는 게 좋겠지."

문지기가 말했다.

"병아리 깃털처럼 깔끔하고 새하얀 분이었는데……."

문지기 마누라는 한숨을 쉬며 의사를 불러왔다. 의사가 진찰을 끝내고 아래층으로 내려오자, 문지기의 마누라가 물었다.

"어떻겠어요, 선생님?"

"환자는 아주 좋지 않소."

"어디가 나쁜가요?"

"온통 나빠서 어디가 나쁘다고 할 수도 없소. 보아하니 소중한 사람을 잃은 것 같군요. 그런 일로 죽는 수도 있지요."

의사는 자기가 다시 와도 소용없을 것이라는 말을 남기고 돌아갔다.

어느 날 저녁, 장발장은 팔꿈치를 짚고 몸을 일으키다가 큰 고통을 느꼈다. 손목을 짚어 보니 맥박이 느껴지지 않았다. 그는 자신이 어느 때보다 약해져 있다는 것을 깨달았다.

그 때 문득 마음에 걸리는 어떤 일이 생각났는지, 그는 가까스로 몸을 일으켜 낡은 작업복을 입었다. 그 옷을 입으면서도 그는 몇 번이나 쉬지 않으면 안 되었다.

그는 가방을 열고 코제트가 어렸을 때 입던 옷들을 침대 위에 펴놓았다. 미리엘 주교의 은촛대는 벽난로 위의 그 자리에 놓여 있었다. 그는 서랍에서 초를 두 자루 꺼내어 촛대에 꽂고 불을 붙였다.

어느덧 밤이 되었다.

장발장은 몹시 힘들여 탁자 위에 펜과 잉크와 종이를 놓았다. 그러고 나자 정신이 아득해졌다.

의식을 되찾았을 때, 그는 목이 타는 것을 느꼈다. 그는 물병을 기울여 물을 한 모금 마셨다. 그리고 떨리는 손으로 천천히 편지를 쓰기 시작했다.

　코제트, 너에게 조금 설명해 주고 싶은 게 있다. 네 남편이 내게 너를 떠나야 한다는 사실을 알아차리게 한 것은 옳은 일이었다. 그가 믿고 있는 데는 약간의 착오가 있지만, 그로서는 당연한 것이다. 그는 훌륭한 사나이다. 내가 죽은 뒤에도 언제까지나 그를 깊이 사랑하도록 해라.

　퐁메르시, 내 사랑하는 아이를 언제까지나 지켜주게.

　코제트, 그 돈은 분명히 너의 것이다…….

장발장은 몽트뢰유 쉬르 메르에서 구슬 공장을 하여 돈을 번 이야기를 쓰다가 그만 손을 멈추었다. 펜이 손가락 사이에서 힘없이 떨어졌다.

'아, 모든 것이 다 끝났어. 이제는 그 아이도 만날 수가 없구나! 마지막으로, 마지막으로 한 번만 보았으면!'

장발장은 두 손으로 머리를 감싸고 흐느꼈다.

그 때, 누군가 방문을 두드렸다.

그날 저녁, 마리우스는 식사를 마치고 소송 서류를 살펴보고 있었다.
그 때 하인이 편지 한 통을 들고 왔다.

"이 편지를 갖고 온 사람이 객실에서 기다리고 있습니다."

그는 편지를 받아들었다. 담배 냄새가 났다. 코를 찌르는 그 냄새와
함께 문득 떠오르는 얼굴이 있었다. '남작 각하'로 시작된 그 편지는 어
떤 인물의 비밀을 알고 있는데, 마리우스와 관계되는 인물이기 때문에
알려 주려고 한다는 내용으로 되어 있었다. 그리고 '테나르'라고 서명
이 되어 있었다. 그 서명은 거짓은 아니었다. 다만 약간 줄였을 뿐이었
다.

마리우스는 서랍에서 지폐 몇 장을 꺼내어 주머니에 넣은 다음 초인
종을 울렸다. 하인이 문을 열었다.

"들어오라고 해."

문을 열고 들어온 사람은 처음 보는 얼굴이었다. 무척 늙어 보이는
그는, 코가 크고 턱은 넥타이 속에 파묻혔으며, 녹색 안경을 쓰고 있었
다.

"무슨 일이오?"

마리우스는 기대한 것과 다른 사나이가 들어오는 것을 보고 크게 실
망했다. 사나이는 자신은 전직 외교관인데, 지금은 몰락해서 형편이 좋
지 않다며 도와 달라고 했다.

"저는 돈이 필요합니다. 그래서 각하에게 비밀을 팔기로 했습니다."

"나와 관계 있는?"

"그렇습니다."

"그 비밀이란 게 뭐요?"

마리우스는 상대편 말에 귀를 기울이며 그를 유심히 살폈다.

"우선 돈 안 받는 이야기부터 하겠습니다. 각하께선 강도와 살인자를 가까이하고 계십니다."

마리우스는 등골이 오싹했다.

"강도와 살인자?"

"그자는 교묘하게 가명을 써서 각하의 신용을 얻고 가족처럼 지내고 있습니다. 그자의 진짜 이름은 장발장입니다."

"그건 알고 있소."

"또 한 가지, 이것도 거저 가르쳐 드리겠습니다. 그는 전과자입니다."

"알고 있소."

"제가 가르쳐 드려서 알게 된 게 아닙니까?"

"아니, 전부터 알고 있었소."

마리우스의 차가운 말투는 사나이의 마음에 분노를 일으킨 듯했다. 그러나 그는 엷은 웃음을 띠며 자신만만하게 말했다.

"좋습니다. 그럼 이제부터 저만 알고 있는 비밀을 가르쳐 드리지요. 각하의 부인에게 있는 재산에 대한 것입니다. 이 비밀의 가격은 싸게 해서 2만 프랑입니다."

"그 비밀이라는 것도 알고 있소!"

그러자 사나이는 당황하기 시작했다.

"그럼 1만 프랑만 주십시오."

"다시 한 번 말하지만, 당신은 내게 아무것도 가르쳐 줄 게 없을 거요!"

"남작 각하, 저는 오늘 먹을 것이 필요합니다. 알아 낸 성의를 생각해서라도 30프랑만 주십시오."

마리우스는 사나이를 똑바로 바라보았다.

"나는 당신의 굉장한 비밀을 알고 있소. 이번에는 내가 당신의 정체를 밝혀야 하겠소. 종드레트!"

"그건 가짜 이름입니다."

"그럼 진짜 이름을 대지. 테나르니에! 몽페르메유에서 싸구려 여관을 했던 테나르디에 말이오!"

"그렇지 않습니다."

"그리고 당신은 불한당이지."

그러면서 마리우스는 주머니에서 5백 프랑짜리 지폐를 꺼내어 사나이의 얼굴에 집어던졌다.

"5백 프랑을!"

사나이는 돈을 움켜쥐고 자세히 들여다보았다.

"좋습니다! 이제 좀 편하게 합시다."

사나이는 원숭이처럼 재빠르게 안경과 가발을 벗었다. 가면도 벗었다. 그러자 매부리코에 추한 주름이 잡힌 얼굴이 드러났다. 그는 과연 테나르디에였다.

테나르디에는 마리우스를 알아보지 못했다. 한집에 살았지만 한번도 얼굴을 본 적이 없었던 것이다.

"테나르디에, 당신은 내가 다 아는 쓸모없는 비밀을 가져왔소. 장발장은 당신이 말한 것처럼 살인자이고 강도요. 자베르 경위를 죽였으니 살인자요, 마들렌이라는 구슬 공장 주인의 재산을 가로챘으니 강도지요."

"남작 각하, 아무래도 이야기가 이상한 것 같습니다."

테나르디에가 말했다. 그의 얼굴에는 승리의 미소가 떠올랐다.

"그럼 아니란 말이오?"

"그건 터무니없는 말입니다. 장발장은 자베르를 죽이지 않았습니다.

그리고 마들렌이라는 사람은 바로 장발장입니다."

"증거가 있소?"

"그 동안 남작 각하를 위해 자세히 조사했지요."

테나르디에는 주머니에서 커다란 회색 봉투를 꺼냈다. 그 봉투에는 누렇게 변색된 신문 두 장이 들어 있었다. 1813년 7월 25일자 신문에는 마들렌이 장발장이라는 것을 증명하는 기사가 있었고, 1832년 6월 15일자 신문에는 자베르가 시민군에게 체포되었을 때 그의 처형을 담당했던 사람이 그를 풀어 주었다는 내용과, 자베르의 자살 기사가 실려 있었다. 그 신문을 보고 마리우스는 얼굴이 새파랗게 질렸다.

"아, 내가 그분을 오해했구나!"

"하지만 그는 여전히 살인자요 강도입니다."

테나르디에는 야릇한 미소를 지으며 말을 이었다.

"이건 저 혼자만 알고 있는 비밀입니다. 일 년 전인 1832년 6월 6일, 시가전이 벌어졌을 때의 일입니다. 전 정치와는 상관없는 어떤 이유로 하수도에 몸을 숨겼는데, 그 때 장발장이 시체를 어깨에 둘러멘 채 제가 있는 쪽으로 다가왔습니다. 가까워진 다음에 유심히 보니 시체는 부잣집 아들 같았는데, 워낙 피와 진흙이 범벅이 되어 얼굴을 알아볼 수 없었습니다. 틀림없이 장발장은 돈을 빼앗기 위해 그 청년을 죽였을 것입니다. 저는 증거도 가지고 있습니다."

테나르디에는 하수도 속에서 장발장을 만났던 일을 자세히 이야기했다. 그리고 증거물이라며 시체의 옷자락에서 찢은 천을 내보였다.

그 순간, 마리우스는 자리에서 벌떡 일어나 벽장에서 그 때 입었던 더러운 옷을 꺼냈다.

"그 청년은 바로 나였어!"

마리우스는 벽장에서 꺼낸 더러운 옷을 테나르디에에게 집어던졌다.

테나르디에가 가지고 있던 천조각은 찢어진 부분에 정확히 들어맞았다.

마리우스는 자기가 어떻게 살아났는지 알고 싶어 애를 태워 왔다. 그런데 비로소 그 의문이 풀린 것이다. 장발장이 바로 생명의 은인이었다니, 마리우스는 감격과 놀라움을 억누르지 못해 비틀거렸다.

"너는 파렴치한이야! 거짓말쟁이에다 중상모략을 일삼고! 너는 그분의 비밀을 캐어 비열한 수작을 벌이려다가 거꾸로 무죄를 증명했군! 그분의 고매한 인격과 명예를 드높여 주었단 말이지! 자, 악당임에는 틀림없지만, 이거나 받아라!"

그러면서 마리우스는 1천 프랑짜리 지폐를 꺼내어 테나르디에에게 던졌다. 테나르디에는 얼빠진 표정을 지으면서도 그가 던진 돈을 주워 넣었다.

"이봐, 비열한 부랑자! 5백 프랑짜리도 여기 있으니, 어서 가지고 나가! 이게 모두 워털루에서 한 대령을 구해 준 대가라는 걸 알아 둬."

"장군이었지요."

테나르디에는 1천 프랑과 함께 5백 프랑을 주머니에 집어 넣으며 중얼거렸다.

"만약 장군이었다면 단 한 푼도 주지 않았을 거야! 아, 짐승만도 못한 놈! 자, 3천 프랑을 더 주겠다. 내일이라도 당장 미국으로 떠나. 그때 2만 프랑을 더 줄 테니까."

마리우스는 테나르디에를 내쫓고 곧장 정원으로 달려나갔다.

"코제트, 코제트! 빨리 당신 아버지께 갑시다! 그분이 바로 날 구해 준 분이었소."

산책을 하고 있던 코제트는 어리둥절한 채 마리우스를 따라나섰다. 마리우스는 마차를 타고 롬 아르메 7번지로 가며 코제트에게 모든 이야기를 했다.

장발장이 편지를 쓰다 말고 흐느끼던 바로 그 순간, 두 사람은 방문을 두드렸다.

"아버지!"

울먹이며 들어선 코제트는 장발장의 품에 안겼다.

"코제트, 네가 왔구나!"

마리우스는 솟구치는 눈물을 참으려고 눈을 감은 채 떨리는 목소리로 말했다.

"아버님!"

"아버님이라고? 그럼 나를 용서해 주는 건가?"

마리우스는 뭐라고 대답해야 할지 몰랐다.

"인간이란 참으로 어리석은 존재야. 다시는 코제트를 못 볼 줄 알았지. 코제트, 정말 아름답구나. 오, 나의 천사! 애야, 네 남편은 훌륭한 남자다. 고맙네, 마리우스! 나를 용서해 주게."

"코제트, 들었소? 이분은 언제나 이렇다오. 당신을 고이 키워 주고, 내 목숨을 구해 주고, 당신을 내게 주고도 용서를 빌다니! 아, 코제트! 나는 이분의 발밑에 꿇어앉아 일평생 빌어도 그 은혜를 다 갚을 수 없을 거요."

마리우스는 눈물을 흘리며 말을 이었다.

"아버님, 이제부터는 저희가 모시겠습니다. 이 낡은 집에서 하루라도 더 계실 생각은 마십시오."

"이번에는 꼭 모셔 가겠어요. 아래에 마차를 기다리게 했어요."

코제트도 울면서 말했다.

장발장은 천천히 일어서서 손가락으로 침대를 가리켰다.

코제트는 장발장을 부축하여 침대로 갔다. 장발장은 침대에 드러눕고 나서야 편안한 표정이 되었다.

"코제트와 함께 살면 즐거울 거야. 새들이 지저귀는 나무숲을 산책하고, 매일 아침 만나는 사람들과 인사를 주고받고……."

장발장은 사랑스럽다는 듯 코제트를 바라보았다.

문소리가 들렸다. 들어온 사람은 의사였다.

마리우스는 의사에게 다가갔다.

"선생님!"

그 한 마디에 모든 의미가 담겨 있었다. 의사는 조용히 고개를 저었다. '이미 늦었다' 는 뜻이었다.

코제트는 장발장의 손에 입술을 갖다 댔다. 그 손은 매우 차가웠다.

"일이 뜻대로 되지 않는다고 해서 하느님을 원망해서는 안 된다."

장발장은 여전히 코제트에게서 눈을 떼지 않고 있었다.

코제트는 흐느껴 울면서 무슨 말인가 하려고 애썼지만, 한 마디도 못했다.

"코제트, 진심으로 사랑한다. 너도 나를 사랑하겠지? 내가 죽으면 눈물을 흘려 주겠지? 저기 있는 은촛대를 네게 물려주마. 내게 그것을 주신 분이 지금 하늘에서 보고 계신다. 내가 죽거든 어느 한구석에 묻고 비석 하나만 세워 다오. 이름은 새기지 말고. 그저 네가 한 번씩 와 주면 그것으로 기쁠 거야. 퐁메르시, 부디 코제트를 행복하게 해 주게. 코제트, 이제 네 어머니 이름을 말해 줄 때가 된 것 같구나. 네 어머니 이름은 팡틴이다. 그 이름을 입에 올릴 땐 반드시 무릎을 꿇어라. 이리 가까이 오렴. 너희들 머리 위에 손을 얹고 싶구나."

코제트와 마리우스는 침대 양옆으로 가서 무릎을 꿇었다. 장발장은 그들의 머리 위에 손을 얹었다. 그리고 다시는 움직이지 않았다.

두 촛대의 희미한 빛이 그 모습을 비춰 주었다.

밤하늘은 별도 없고 한없이 어두웠다.

작품 알아보기
(장편문학)

〈장발장〉은 1862년에 씌어진 작품으로 원래 제목은 '비참한 사람들'이라는 뜻을 가진 〈레 미제라블〉이다.

배고픔을 참을 수 없었던 청년 장발장은 19년간의 감옥살이를 마치고 출옥한다. 이제 막 출소한 그에게 따뜻하게 대해 주는 사람은 아무도 없다. 오히려 냉대와 두려운 시선으로 그를 멀리할 뿐이다.

세상에 대한 원망으로 가득 찬 장발장은 자신에게 하룻밤의 숙식을 제공해 준 신부의 집에서 은그릇을 훔쳐 달아나다가 다시 체포되어 끌려온다. 그 때, 미리엘 주교는 은그릇은 자기가 준 것이라고 말하며 은촛대마저 장발장에게 준다.

미리엘 주교의 행동에 크게 감동한 장발장은 비로소 사랑에 눈을 뜨게 되어, 마들렌이라고 이름을 고친 뒤 새 사람이 된다.

누구보다 열심히 살았던 그는 곧 재산을 모으고 시장으로까지 출세한다. 그러나 자베르 경위만은 여전히 포기하지 않고 끈질기게 그의 뒤를 쫓고, 마침내 마들렌 시장의 정체가 사람들에게 알려진다.

다시 쫓기는 신세가 된 장발장은 자신의 구슬 공장에서 일하다 쫓겨나 거리의 여자가 된 팡틴의 딸 코제트를 양녀로 삼아 키

작품 알아보기
(장편 문학)

운다. 그러는 동안 과거의 죄로 고난을 겪지만 많은 사람을 도
와주며 바르게 살다 코제트가 지켜보는 가운데 조용히 숨을 거
둔다.

또한 평생 장발장의 뒤를 쫓던 자베르 경위는 인간적인 양심과
법에 의한 의무 사이에서 갈등하다가 다리에서 떨어져 스스로
목숨을 끊는다.

세상 사람들의 오해와 편견 속에서 고통받던 장발장은 우연한
기회에 사제의 사랑을 받아 세상에 대한 미움과 증오심을 버리
고, 그것을 가난하고 소외된 사람들에 대한 사랑으로 승화시킨
다. 하지만 평생을 남을 위해 헌신한 장발장에게 돌아온 것은,
과거의 조그만 잘못의 대가로 인한 '범죄자' 라는 낙인뿐이었
다.

우리는 여기서 법과 양심의 문제와 오늘날 우리 사회를 다시
한 번 뒤돌아 보는 계기를 가질 수 있을 것이다.

논술 길잡이
(장편문학)

❶ 다음은 장발장이 19년 동안의 감옥 생활을 끝내고 석방되는 부분이다. 밑줄친 '노란색 통행증을 가져야 하는 자유'가 의미하는 것이 무엇인지 써 보자.

교도소 문을 나와 눈부신 햇빛 속에 섰을 때야 비로소 자유를 실감할 수 있었다.

장발장의 주머니에는 19년 동안 형무소에서 일한 대가로 받은 109프랑 15수의 돈과, 전과자에게 발급되는 노란색 통행증이 들어 있었다.

장발장은 곧 새로운 생활이 열릴 것이라고 믿었다. 그러나 세상에 나오자 그는 <u>노란색 통행증을 가져야 하는 자유</u>가 어떤 것인지를 곧 깨닫게 되었다.

....

....

....

....

....

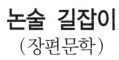

논술 길잡이
(장편문학)

❷ 미리엘 주교는 은그릇을 훔쳐 달아났다가 헌병들에게 잡혀 온 장발장에게 은촛대마저 주어 돌려보낸다. 미리엘 주교가 그렇게 한 이유는 무엇일까? 그리고 내가 미리엘 주교라면 어떻게 했을지 생각해 써 보자.

❸ 장발장은 범죄자로 한평생을 쫓기며 살아간다. 장발장의 죄가 무엇인지 써 보고, 그것이 평생 동안 그를 옭아맬 정도로 큰 죄인지 생각해 보고 쓰라.

논술 길잡이
(장편문학)

❹ 아래 그림은 마들렌 시장이 법정에서 자신이 바로 장발장임을 밝히는 장면이다. 장발장은 마들렌 시장으로서 편안하게 살아갈 수도 있었지만, 다른 사람이 자기로 오인받아 죄를 받는 것을 보자 자신의 신분을 밝힌다. 장발장의 이런 행동에 대해 어떻게 생각하는지 써 보자.

논술 길잡이
(장편문학)

❺ 자베르 경위는 경찰관으로서의 임무와 한 인간으로서의 양심 사이에서 갈등하다가 다리에서 떨어져 자살하고 만다. '법'과 '양심' 중 어느 것이 더 중요한 것인지 친구들과 이야기해 보고, 그 결과를 적어 보자.

....

....

....

....

❻ 위고의 생애에 대해 조사해 보고, 위고 작품들의 특징을 정리해 써 보자.

....

....

....

....

논·술·세·계·대·표·문·학 〈전60권〉

펴 낸 이   정재상
펴 낸 곳   훈민출판사
주   소   경기도 고양시 덕양구 원당동 416번지
대 표 전 화   (031)962-3888
팩   스   (031)962-9998
출 판 등 록   제395-2003-000042호